天靈地寶
舞馬長槍◎著
【全二卷】
上卷

前言

世間從來不缺少「天靈地寶」，只不過能尋到天靈地寶的人就是鳳毛麟角了。有陰必有陽，有圓就有缺，外八行裡自古就有著這麼一夥人，南方稱為「憋寶」；北方稱為「相靈」；民間則多稱為「牽羊」，把這種人統稱為「羊倌」。

「牽羊」這行自古就傳下來很多規矩，其中一條就是「牽羊不倒斗，雞鳴不露頭」。幹這行的，大多是夜裡幹活，而且免不了要與地下埋著的寶貝打交道，但是每一行都有自己的道兒，而「牽羊」這行就明確規定，不能參與倒斗盜墓。

牽的寶只能是散寶，是「野羊」不能是「家羊」，也就是說只能牽沒主兒的寶貝。像什麼墳裡埋的，別人家擺的，東西再好也是不能動的，否則肯定會死於非命。

至於「雞鳴不露頭」則是說，不管當時是什麼情況，有沒有得手，哪怕就差一步了，只要公雞一叫，就一定要馬上收手。如果貪圖寶貝而觸犯了這條，那下場和「倒斗」一樣，都會不得好死，雖然沒說到底會怎麼個不得好死法，但是幹這行的自古以來都一直篤信不疑，沒有人敢違背。

這些人，一年四季大部分時間，或是遊走於名山大川之中，或是流連於郊嶺荒原之外，行蹤飄忽不定，行事神祕詭異，而他們最終的目的只有一個，就是為了那些「天靈地寶」。

找寶與取寶的方法，南北不盡相同，手段上也是各有千秋。

請記住，這只是一個故事，就從一個老羊倌說起……

目錄
CONTENTS

上卷

目錄
CONTENTS

目錄
CONTENTS

目錄
CONTENTS

目錄
CONTENTS

第1章

赤血寶蟾

三十年前，葫蘆頭溝。

夜深人靜，月光如銀，蟲鳴蛙叫聲此起彼伏。

一片雜草叢中蹲著兩個人，一老一少，表情凝重專注，也不說話，眼睛都直勾勾地盯著對面的那條小河溝。

年紀大的那個約六十多歲，而年輕的也就二十出頭，他們年齡雖然相差懸殊，但是兩人的穿著打扮，卻幾乎一模一樣。

兩人上身都只穿了件緊身的背心，腳下蹬著一雙高統黃膠鞋，打著綁腿。身上斜背著一隻鹿皮兜子，鼓鼓囊囊的也不知道都裝些什麼東西，右手戴著一隻皮手套，手套的長度超過肘部一大截，快到了腋窩。這麼熱的天，這身打扮，實在是有些不倫不類。

水溝邊的蚊子成群結隊地飛來飛去，鋪天蓋地。不過這一老一少雖然都只穿著背心，赤裸著臂膀，身上竟然一隻蚊子也沒落下。更奇怪的是，蚊子見了他們就像耗子見了貓似的，只在距離他們一段距離的上空盤旋著。

從天黑到現在，這爺兒倆已經蹲四、五個小時了，這麼長時間裡，他們愣是紋絲不動，一聲不吭，乍看之下，還真像兩個稻草人。

終於，年輕的那個小夥子，有些沉不住氣了，壓低了聲音問道：「師傅，今晚是不是又白等了，您看會來嗎？」

老爺子微微側了下頭，手指放在唇前朝那年輕人比劃了一下，示意他不要再說話。

年輕人吐了吐舌頭，轉過頭繼續盯著水溝，不敢再言語了。

——足足又過去了半個鐘頭。

突然，水溝那邊傳來一種很奇怪的叫聲。

「咕……咕……」

聲音低悶如雷，有點兒像是小牛在叫，又有點兒像是小孩子在哭。在這幽靜的深夜裡，聲音傳得很遠，也很怪異。

這一老一少趕緊把身子又往下壓了壓，屏氣息聲，瞇起眼順著草縫小心地往對面看去。

前方五、六公尺處就是那道小河溝，水不深，剛沒腳踝，嘩嘩的流水聲在夜裡聽起來，並不覺得悅耳動聽，相反倒是顯得有些聒噪。

順著那咕咕的叫聲，爺倆終於發現了水中一塊平整的石頭上，趴著一隻黑乎乎的東西，頭部尖尖、腮部鼓鼓的，仰頭朝天，在那兒時不時「咕咕」地叫喚著。

老爺子小心地向那年輕人打了個手勢，然後慢慢地從身邊摸起一根竹竿，一點一點地往前倒騰，速度就像是電影裡的慢動作一樣，好像生怕驚動了那東西。

過了好半天，總算是把竹竿搗騰到了面前，然後又小心地把竹竿高高揚起，像釣魚一樣，對準了那個東西，調好了角度。

月光一晃之下，這才看清，在竹竿的頂部竟然繫著一根透明的魚線，長度約有兩公尺，尾端墜著一塊鉛製的牙膏皮，底下並沒有拴魚鉤，而是綁著一捆點著的香頭。這種香就是平時拜拜用的香，幾根香捆在一起，能有小手指粗細，紅紅的香頭在夜空中顯得極為顯眼。

竹竿慢慢地搖來搖去，魚線上繫著的香頭，也在空中劃動出一道道軌跡，有點像是鬼火一般，忽明忽暗，飄忽不定。

說來也奇怪，蹲在石頭上的那東西本來一動不動，可是竹竿在牠面前晃了沒有多大一會兒，那東西竟然慢慢地掉轉過頭來，盯著那搖動的香頭，腦袋漸漸地跟著晃了起來，晃著晃著，牠就慢慢地從石頭上爬了下來。

剛才那東西一直隱在樹影中，也看不太清楚。這一爬出來，憑著月光倒是看得真切，竟然是一隻超大號的癩蛤蟆。全身火紅如血，背上一層細密的疙瘩，大的有指甲大小，小的如同米粒，疙瘩頂端分泌著白色的膿水，看著就讓人噁心。

這麼大個兒的癩蛤蟆，身形比巴掌還要大上一圈，貼著地皮，一步一步緩緩地爬了過來，看著讓人頭皮發麻。

眼見這隻大癩蛤蟆漸漸地脫離了水面，順著香頭被引誘到了岸上，老爺子趕緊朝著那年輕人使了個眼色。

年輕人體形消瘦，個頭也不高，見老爺子放出了信號，趕緊貓著腰（彎腰），小心地繞過草叢，從後面包抄了過去。

隨著那根帶著香火頭的竹竿不停地擺動，那隻大癩蛤蟆不知不覺中已追著香火頭爬到了岸上。老爺子面露喜色，開始一點一點地往回收竿，隨著手中的竹竿越來越收到身後，香火頭也越來越近，眼瞅著那隻大癩蛤蟆就快要到眼前了。

而那年輕人已經悄悄地走到了水溝邊，從隨身的鹿皮兜子裡翻出一隻瓷瓶，擰開蓋子後，把瓶子裡的粉末沿著河岸撒了長長的一道線，在月光的反射之下，泛出點點白光，有點像是粗粒子的鹽，也不知道究竟是什麼東西。

等到這邊弄好之後，年輕人這才直起腰來，右手高高舉起，立掌指天，左手握住右手的手腕，朝著老爺子打了個奇怪的手勢。接著他又從包裡掏出件東西，和撈魚的網兜差不多，前面是鐵絲做成的三角形的網口，後面是用麻繩編好的網兜，組裝在事先已經預備好的木杆後，他雙手緊握著木杆一點兒一點兒地往前伸去，從後面把網兜口慢慢地向那隻癩蛤蟆靠近，眼看著越來越近，幾乎就要挨到那隻癩蛤蟆的屁股了。

老爺子猛然間把手中的竹竿往上一拉，香頭嗖地一下飛向了空中。隨著這突然飛起的香頭，那隻體形碩大的癩蛤蟆後腿一蹬地，竟然也是騰空躍起，躍起足有一尺來高，把這一老一少都嚇了一跳。

老爺子趕緊對著年輕人喊道：「四喜子，看準了，接住！」叫四喜子的那個年輕人，緊張地點了點頭，眼睛瞪得像燈泡似的，死死地盯著那隻躍了起來的癩蛤蟆。

眼看著那隻癩蛤蟆在空中跳到最高點後明顯一滯，接著就帶著風聲又落了下來，四喜子緊張得手心都冒了汗。他屏住呼吸，把網兜端得四平八穩，就聽「嗖」地一聲，那隻大癩蛤蟆直直地跌入了網兜。

四喜子手腳極為麻利，見癩蛤蟆入網之後，手上一翻個兒，直接把網兜口朝下拍在了地上，緊緊地扣住了那隻癩蛤蟆。

老爺子不敢怠慢，趕緊從草叢中躍出，打開手中的瓶子，繞著網兜劃了一圈，把裡面的白色粉末撒了厚厚的一圈後，這才如釋重負，朝四喜子咧嘴笑了笑，用手輕輕比劃了一下，示意四喜子可以把網挪開了。

四喜子屏氣息聲，慢慢地把網兜收了起來。那隻大癩蛤蟆見身上的束縛不見了，趕緊往外爬，可是前腿剛碰到那白色粉末，咕地就冒出了一股白煙，頓時空氣中彌漫著一股焦臭的味道。

癩蛤蟆好像極其痛苦，當時肚皮朝上就翻了過來，緊接著兩腿一撐，這才又翻了過去，局促不安地「咕咕」直叫。

眼見這隻癩蛤蟆受制於圈中，這爺倆總算是長舒了一口氣，頓時眉開眼笑。老爺子咧著嘴，自言自語道：「赤血寶蟾，咱追了你好幾年，總算是讓我給逮到了！」

四喜子也咧著嘴笑個不停，看了一眼老爺子問道：「師傅，這玩意兒真那麼值錢啊？咱們每到月圓時都在這兒蹲著，一晃都好幾年了，今天總算是等到了。」

老爺子看了一眼四喜子，笑了笑，告訴他：「這赤血寶蟾二十年變一回色，從淡黃色到金色，從金色到胭脂紅，再從胭脂紅變成朱砂紅，最後從朱砂紅到現在的赤血紅，最少要百八十年才行。先不說這赤血寶蟾，就算是金蟾的蟾衣，那也是難得的奇材，可以起死人，肉白骨，有起死回生的功效，而眼前這隻，那就是無價之寶，只要把牠脫手了，這輩子都夠用了。牽了幾十年的羊了，總算是牽到隻『紅羊』了！」

四喜子一聽，興奮得手舞足蹈，口水都快流出來了。

老爺子喘息均勻後，不慌不忙地從隨身的鹿皮兜子裡掏出一軸普通的細線，挽了個「勒死牛」的繩扣，然後把繩扣撐開一些，拇指和食指捏住繩子的末端，慢慢地往下撚動放線。

這天正是滿月，月光如銀，亮如白晝，眼見那細繩越來越往下，就在這時候，一片烏雲把月光死死地遮住了，天色一下子暗了下來。

但見這老爺子閉左眼，睜右眼，右眼中竟然閃著一種特殊的幽光，顯然根本就沒被這突如其來的黑暗所干擾到，僅憑著微弱的光線，依舊心平氣和、十分專注、穩穩當當地繼續往下放著線繩。

這隻赤血寶蟾可能是剛才有些折騰累了，黑暗中瞪著一雙怪眼，趴在地上一動不動。老爺子好像比牠還有耐心，用手捏著那根細線，像是尊雕像一樣，死死地盯著牠。

第2章

失手

足足過去了十分鐘，就在月亮要衝出雲層的那一瞬間，那隻赤血寶蟾顯然是有些沉不住氣了，身子微微地動了一下，然後猛地往前一躍。

毫無意外，身上又冒出了一溜兒白煙，就在牠前腿一伸，準備要翻身的那一瞬間，老爺子的手往下一放，繩扣準確地套在了牠的前腿上，然後迅速向上一提。癩蛤蟆就被吊在了空中，像是鐘擺一樣左右搖晃個不停。

這隻赤血寶蟾顯然不甘心，身子在空中亂扭，掙扎個不停。

這種叫「勒死牛」的扣子，下面一旦墜上東西，越掙扎，這扣子繫得會越緊，細線都差不多能勒到肉裡去了。

折騰了沒幾分鐘，這癩蛤蟆也漸漸地老實了，伸直了四條長腿，挺屍不動了。

這隻癩蛤蟆四腿伸直後，足有一尺來長，血紅的肚皮，血紅的後背，冒著膿尖的大疙瘩，看得讓人頭皮發麻。

眼見這隻赤血寶蟾到手了，老爺子長出了一口氣，手上的繩子上下提了提，朝著四喜子一比劃，示意四喜子趕緊收拾東西，準備收工。

四喜子也是喜不自勝，一晃在這兒蹲了好幾年了。每年的六月至九月，每逢月圓之夜，爺倆都全副武裝地在這裡蹲著，一蹲就是一整夜，為的就是這隻赤血寶蟾。眼見多年來的辛苦總算沒有白費，他眉開眼笑地蹲下身來，收拾地上的東西。

月圓之夜，是陰氣最盛之時，像這種有些道行的天靈之物，自然會覓機出來吸收月華之氣。只不過這種東西靈性十足，稍有個風吹草動就不會出來，並且不斷地更換採氣的地點，所以無論是憋寶還是相靈，都不是那麼容易的一件事，為了件寶貝，花費幾年工夫是常有的事，到頭來還未必能成。

這次眼見捉到了赤血寶蟾，爺倆心裡都很興奮，這種寶物根本是可遇而不可求的事，有人一輩子也牽不到一個。

爺倆精神一放鬆，注意力自然也鬆懈了下來。這隻赤血寶蟾也不知道從哪兒生出來一股怪力，突然將身子往下墜了兩下，然後借著線繩微小的反彈力，身子快速地抱攏成團，直接就彈了起來，在空中突然轉變方向，奔著老爺子的身上就反撲了過去。

這赤血寶蟾一身陰邪之氣，全身劇毒，根本不能沾身，所以才會費了這麼大的勁兒把牠捉住。本以為牠已筋疲力盡，沒什麼能耐了，不想牠卻突然發難，這一切都發生在電光石火之間，等到老爺子意識過來的時候，那隻赤血寶蟾已經撲到了近前。

危急當中，老爺子戴著手套的右手食指和中指緊緊閉攏，往外用力一撥，左手一鬆，身子向後一仰，原地來了一個鐵板橋，雙手倒撐在地上，就勢再往旁邊一滾，總算是躲了過去。老爺子很利索地站起身來，此時已然驚出了一身的冷汗。

而那隻赤血寶蟾四腿剛一著地，咕地怪叫了一聲，後腿一發力，奔著蹲在地上的四喜子就跳了過去，三跳兩躍，越來越近。

四喜子對身後電光石火之間所發生的事，渾然不覺，根本就沒有防備來著，眼瞅著這隻赤血寶蟾就要跳到他的身上了。

老爺子看見之後，嚇得失聲大喊：「四喜子，快點閃開！」

四喜子一愣，下意識地回頭看了一眼，就見一道紅影高高躍起，已經衝著他的面門撲了過來，他當時就嚇傻了。

那老爺子情急之下，也顧不上別的，長臂一伸，身子往前一擰，伸出右手，眼疾手快，一把就攥住了空中的赤血寶蟾，手在空中急挽了兩下，然後順勢就往自己這邊用力地一拉。

雖然老爺子的手法迅捷，但是頃刻之間，老爺子就感覺手上一陣奇痛，心知大事不妙，恐怕是著了道兒了，趕緊鬆手。想不到那隻赤血寶蟾就像是粘在了手套上一樣，竟然沒有滑落，而是瞬間身子脹起，就跟充了氣似的脹得圓滾滾的，看著十分駭人，好像隨時都會爆裂開來。

老爺子心中暗叫一聲不好，右手趕緊急甩。癩蛤蟆雖然脫了手，但是也晚了，就聽到噗地一聲，那隻癩蛤蟆背上疙瘩裡的白色膿汁力道十足地噴射了出來，噴得老爺子臉上、前胸到處都是。

隨著一股白煙升起，「唉呀！」老爺子當時就一聲慘叫，重重地摔倒在地上，捂著臉疼得滿地翻滾起來。

四喜子這時才如夢初醒，從旁邊順手抄起竹竿，看準那隻癩蛤蟆，猛然掄起來，就用力抽了下去。竹竿足有兩公尺長，而他和這癩蛤蟆距離很近，所以準頭並不足，一時沒有砸到，只見那隻癩蛤蟆往旁邊一滾，身子又是一鼓，眼看著身子脹得越來越大，四喜子一下子就愣住了。

這時候，就聽到老爺子一聲厲吼：「四喜子，快跑！」

四喜子一怔，不過也馬上反應過來，撒腿就跑，突然他感覺到手上一麻，緊接著一陣奇痛，鑽心入骨。

低頭一看，左手小手指上白煙直冒，眼瞅著手指肚就像點燃的炮仗撚兒似的，短了一截，而且越來越短，四喜子心中驚駭，一咬牙，從大腿外側拔出匕首，狠下心來，用力一揮，一道鮮血噴了出去。

看著齊根切斷小手指的左手掌，四喜子身子一栽歪，搖晃了兩下，忍著疼痛，撒腿往外跑了有十幾公尺後，撲通一聲栽倒在地上，昏死了過去。

那隻赤血寶蟾並沒有繼續追趕四喜子，「咕……咕……」地怪叫了兩聲之後，一閃身就鑽進了旁邊的草叢中不見了蹤影。

不知道過了多久，四喜子才醒過來，他下意識地摸了一下自己的胳膊和腿，知道自己還活著。他忍著劇痛，右手撐地，掙扎著坐了起來，從隨身的鹿皮包裡摸出一個「馬糞包」，用手彈了彈，把裡面的灰末小心地撒在了出血的斷指上，可流血依然不止，他一咬牙，把馬糞包直接壓在了上面，疼得他直咧嘴，不過片刻之後，血果然就止住了。

「馬糞包」是一種草藥，樹林裡、荒草甸子上經常可以見到，中藥名叫「馬勃」。嫩時色白，圓球形，長得很像是蘑菇，但比蘑菇大，鮮嫩時可以炒著吃，嫩如豆腐。老了後則變成褐色硬皮，裡面虛軟像海綿一樣，輕輕一彈就會有粉塵飛出，可用於外傷局部止血，立見奇效。

等血止住後，四喜子不知不覺中又出了一身的冷汗，他把一隻腿上的綁腿解了下來，當成繃帶纏在手上，包紮完傷口之後，才掙扎著站起身。

風吹過來，四喜子頓時感覺身體有些發涼，激靈一下打了個冷顫。猛然間，他才想起來，老爺子還生死未卜。趕緊又往回跑去，等到他再跑回原處，發現那隻癩蛤蟆已經不見了蹤影，而老爺子則血肉模糊地趴在地上，一動不動了。

四喜子隱隱地感覺有些不妙，他忍住了疼痛，屏氣息聲地走到老爺子近前，用手輕輕地把老爺子翻了過來。

再一看，老爺子的一張臉已經血肉模糊，眼睛變成了兩隻黑洞，一隻眼珠還耷拉在眼眶外，鼻子和嘴唇都沒有了，前胸上也都是大窟窿，五臟六腑都流到了體外，此時的老爺子就像地獄裡的惡鬼一樣，根本就看不出人形了。

四喜子看著眼前這副慘狀，倒吸了一口冷氣，縱然他膽子再大，突然看到這情景，也是嚇得不輕。再一想起和師傅這些年學藝時的情景，四喜子一時悲上心頭，坐在地上大聲痛哭了起來。

四喜子越哭心裡越難受，早就聽師傅說過，「牽羊」不成便會被「羊頂」，可能有性命之憂，他卻一直也沒當回事，沒想到今天就栽了個大跟頭，這一失手，把命都給賠上了。

再一想，老爺子這一身通天徹地的本事，要不是為了救他，也不會死在這裡，而且死得又這麼慘。想到痛處，四喜子又是一陣號啕大哭，最後連嗓子都哭得嘶啞變聲了。

夜深人靜，荒郊野外的，哭聲之淒慘，就連蛐蛐也不叫了。

哭了大半天，四喜子才抹乾眼淚，站了起來，在附近看了看。他走到旁邊的小樹林裡，找處風水還算不錯的地方，挖了個淺淺的坑，把老爺子放了進去。簡單地堆了個墳頭，跪在地上，叩了幾個頭，嘴裡面念叨了幾句後，抬眼看看天，天快要亮了，他趕緊收拾好東西，準備離開這個傷心的地方。

「牽羊」這行自古就傳下來很多規矩，其中一條就是「牽羊不倒斗，雞鳴不露頭」。幹這行的，大多是夜裡幹活，而且免不了要與地下埋著的寶貝打交道，但是每一行都有自己的道兒，而「牽羊」這行就明確規定，不能參與倒斗盜墓。

牽的寶只能是散寶，是「野羊」不能是「家羊」，也就是說只能牽沒主兒的寶貝。像什麼墳裡埋的，別人家擺的，東西再好也是不能動的，否則肯定會死於非命。

至於「雞鳴不露頭」則是說，不管當時是什麼情況，有沒有得手，哪怕就差一步了，只要公雞一叫，就一定要馬上收手。如果貪圖寶貝而觸犯了這條，那下場和「倒斗」一樣，都會不得好死，雖然沒說到底會怎麼個不得好死法，但是幹這行的自古以來一直都篤信不疑，沒有人敢違背。

四喜子匆匆地埋完老爺子之後，大致清理了一下現場，而後邁開大步，幾個縱躍就消失在了夜色中……

一切重歸寂靜，要不是地面上斑斑點點的血跡，還殘留著，這裡就像是——什麼事情都沒有發生過一般。

第3章 老羊倌

在葫蘆頭溝不遠，有個小營子村，村子不大，住著三十幾戶人家。

有一天，村裡突然來了個小夥子，隻身一人，也沒有什麼家當，就在村東頭的一間空屋子裡住了下來。

那個年代，村裡人大多是闖關東過來的，但是這裡氣候惡劣，種地也不容易，後來有些人又相繼返回了關內，因此村裡也就空下了很多的房子。這些房子都是清一色的土坯房，一直也沒有人照顧維修，要不是屋裡的兩根柱子撐著，估計一陣風都能把房子吹倒。

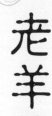

村裡人都很樸實，一看這小夥子不是本地人，無家無業的看樣子像是落了難的可憐人，大家都挺可憐他，隔三差五，東家送點吃的，西家送點喝的。這小夥子雖然身染重病，好歹是沒餓死，硬撐了過來，病好之後，就在這村子留了下來。

小夥子個子不高，長得又瘦，也不會幹什麼莊稼活，後來村裡的領導想了想，就把他安排在生產隊放羊了。

雖說地裡的農務他是一樣也幹不來，但羊卻放得很好。每天一大早，他就把一百多隻羊趕出去，口裡吆三喝四，那群羊就乖乖地排好隊，一直走到半山腰。該回去的時候，只要他打個呼哨，那群羊自己就會排好隊形又齊整整地下山。村民們看著也都驚奇，嘖嘖稱歎，大家開始叫他「羊倌」。

小夥子長得不算英俊，但是人很機靈，說話辦事也很周全，和誰都能相處到一起。天長日久，作媒拉線的人自然就相繼找上了門，也不知道這小夥子是因為什麼，一提到相親，就是一百個不樂意，咋說就是不找媳婦。時間長了，遠近的媒婆也都不再給他介紹女子了，他就一個人一直這麼晃蕩著。

除了不找媳婦這個古怪的脾氣之外，小夥子別的方面都不錯。能說會道，說話風趣幽默，人緣也好，口碑不差，誰家要是有個大事小事的，他都是有求必應。

過了沒幾年，改革開放，土地承包個體單幹了，他這公家放羊的差事也就沒有了。村民都以為他不會種地，這回要挨餓了，但是誰也沒想到他還會一手好木工活。打個床、做個櫃子什麼的都不在話下，手藝好不說，樣式也耐看，很多樣子都是村裡這些人沒見過的。大家一傳十，十傳百，他也算是名聲在外。

最主要的就是他收費不高，一些小來小去的活計，供頓飯也就算了，根本不要工錢，差一不二就可以，他也從不計較，所以街坊四鄰、十里八村的人們有什麼活都願意找他。在那個年頭，農村人家裡的家具都是找木匠做的，想買都沒處買去。結婚、蓋房、添置物件都得提前找好木匠，然後好吃好喝地請到家裡來，當時的木匠也算是個肥職，說不上多富裕，日子過得倒也不愁吃穿。

時間如流水，一晃三十年過去了。

當年的小夥子也變成了小老頭，頭髮都有些斑白了，這大半輩子都過去了，他也沒成個家，還是孑然一身。這麼多年以來，村裡人都不叫他的真名實姓了，大家喊順了嘴，都叫他「老羊倌」。

老羊倌雖說一輩子也沒成家，不過天上卻掉下來個「兒子」，雖說是以師徒相稱，但是比父子還親。

要說起這件事，還得回到十多年前的一個晚上……

有一次，老羊倌給別人幹完活，夜裡回來的時候，在山坡上發現有個孩子直挺挺地倒在地上，已然昏迷不醒了。他趕緊跑過去用手試了試，才知道孩子正在發高燒。當時那孩子氣若遊絲，面如土色，眼瞅著就不行了。

老羊倌一看這孩子差不多就是八、九歲的年紀，身上穿著破衣爛衫，像是個拾荒要飯的小鬼。在這荒郊野外的要是沒人管，肯定是必死無疑，於是老羊倌就動了惻隱之心，把這孩子給抱回了家。

之後，他又連夜上山找了點草藥，煎幾劑藥下去後，還真把這孩子給救活了。

孩子醒來後告訴老羊倌，他叫徐青山，以前爹媽在的時候，都叫他小山子，老家是黑龍江的，家裡遭了難，人都死沒了，他這才一個人跑出來。他只知道還有個姑姑在渾江這邊，但是也不知道地址，沒有具體的位置，好不容易走到這兒了，連累帶餓，就得了病，高燒不退，昏倒在山上。

老羊倌大半輩子，自己一個人過日子也覺得有些孤單，看這孩子怪可憐的，長得也挺招人喜歡，就收留了他。

要說這孩子老實巴交，不招災，不惹禍的，一看就是本分人家的孩子。平時話不多，但是腦袋一點兒也不笨，有點兒餿主意。

這孩子正是上學讀書的年紀，老羊倌也就讓他和別的孩子一起去上學。不過這孩子幹啥都行，就是不愛上學，三天兩頭地蹺課，連人影都找不到。喜歡聽評書，整天捧著收音機連飯都顧不上吃，腦袋裡知道的那點兒東西也都是從評書裡聽來的，他倒是不管真假對錯，考試時全往上面招呼，毫無疑問，年年穩坐班級倒數第一名。好不容易讀到初中畢業，說啥也不肯念下去了。

徐青山的腦袋一點兒也不笨，主要是他感興趣的東西，學起來都很快，聽完的評書，不管是多拗口的綽號、還是武功招式，他差不多都能一字不落地再講一遍，唯獨就是坐不住硬板凳，一提上學，他腦袋就疼。

老羊倌拿他沒辦法，就打算教他木匠手藝，指望著他學成之後，將來也好有碗飯吃，不至於餓死，平時也能幫著自己一把。

民間都說「老先生，少木匠」。

其中的「老先生」是指陰陽先生或是看病的郎中，這類人是越老越吃香，越老越被人看中，因為這表示他的道行高深、醫術精良；而「少木匠」是說木匠最好是年輕力壯的，因為這行裡，刮拉鑿砍鏟，幹的都是力氣活，歲數大了也就幹不動了。老羊倌眼瞅著五十歲了，體力已經開始下坡了，當然需要個幫手。

這一年等到大年初五，小山子開始正式拜師了。他認師行禮，跪地叩頭，拜過了祖師爺魯班後，又給老羊倌叩了個頭，這就算是正式入門了。

木匠拜師後，學藝一般都是三年零一節，也就是當年的正月初五拜師，到了第四年的五月初五就算是出師了。其間不開工錢，不准退師，師傅可以打罵徒弟，萬一失手，打死了也不償命，而這幾年期間是由師傅負責徒弟的吃穿。

本來這徐青山一直和老羊倌相依為命，所以這些條條框框也就不那麼重要了。老羊倌真心去教，徐青山也願意去學。

要說這小子，別看課業學習不行，但是對這些木匠活倒是極感興趣。都說「師傅領進門，學藝在個人」，這種木匠活都是實際操作，口傳心授，並且要會舉一反三，學會了做方凳，自己就要研究做方桌，很多時候需要個悟性。

徐青山心思聰穎，學了一年，做的東西就也有模有樣了。不到兩年的時間，基本上就把老羊倌的木工活都學得差不多了，算是提前出師了。

他畢竟是小夥子，手腳麻利，活做得又快又好，一來二去，老羊倌就漸漸退居二線，啥活都讓徐青山自己去做了。他自己倒是享上清福了，也不怎麼出去，平日裡在家做做飯，聽聽收音機，日子倒也過得逍遙自在。

徐青山從心底感激老羊倌的救命之恩和傳藝之情。別看他歲數不大，但是心裡有數，對老羊倌好得沒話說，平時做工掙的錢都交給老羊倌，讓師傅留著買米買麵過日子用，和老羊倌好得就跟親爺倆似的，師徒二人日子過得雖然不富裕，卻很快樂。

到了這一年，老羊倌五十四歲，徐青山也二十五歲了。在農村，男的要是過了二十五歲還沒訂婚或是結婚，就算是大齡青年了。這兩年，徐青山時不時地也相看了好幾個對象，女方對他印象還都不錯，不過最後都是差在彩禮上，嫌老羊倌家裡太窮，要地沒地，要房沒房，窮得耗子進了門都直掉眼淚，最後也就都不了了之了。

徐青山也長大了，脾氣也很倔，罵那些人家狗眼看人低，有眼不識金鑲玉，就是把閨女白送也不要了，大不了打一輩子光棍。

老羊倌總覺得這事不能再拖了，自己都打一輩子光棍了，總不能讓孩子也娶不上個媳婦。但是抬眼一看，自己這屋裡的確是家徒四壁，要啥沒啥。這麼多年來，一直攢吃攢穿，根本就沒攢下什麼錢，他一時也犯了難。

尤其近幾年來，村裡人添家具都不找木匠做了，都是到縣裡買現成的，款式也漂亮，這木工活也就沒法幹了。徐青山幾年前就到縣上的家具廠去打工，一個月賺的錢只夠他們爺倆平時用的，一年到頭也攢不下幾個錢。

農村娶媳婦，這彩禮可不是小數目。瓦房、家具和家電先不說，單單這彩禮沒有個幾萬塊錢，姑娘根本就娶不進門。可這幾萬塊要是就這麼個攢法，那還結個屁婚啊，沒等攢夠，姑娘都當媽了。

第4章 採藥

這一天，廠子裡也沒什麼活，徐青山就待在家裡。他正躺在炕上聽著評書，就見老羊倌興沖沖地從外面走了進來。剛一進屋，老羊倌就從衣服裡摸出一根東西扔在了炕上，得意地朝著徐青山撇了撇嘴，讓徐青山見識見識他弄到的寶貝，然後掏出根煙點著，一屁股坐在炕上抽了起來。

徐青山捧著收音機正聽在興頭上，斜眼瞥了一下，頭不抬眼不睜地哼了一聲：「老爺子，你歲數也不大，咋就糊塗成這樣，在哪兒弄了根胡蘿蔔還牛氣上了。這玩意兒要是寶貝，隔壁孫老二早就成富翁了，他家種了一園子，全刨出來能裝好幾麻袋呢！」

老羊倌一聽，「呸」了一口，一起身拎著徐青山的耳朵，就把他從炕上提了起來：「你個小兔崽子，你給我仔細瞅瞅，這玩意兒是哪一國的胡蘿蔔？這可是正兒八經的野人參，都十幾年了！」

徐青山揉了揉耳朵，又看了一眼，見這根胡蘿蔔長得還沒有大拇指粗，鬚子還不少，他拿過來看了看，張嘴咬了一口，嚼了嚼。

剛嚼了幾口，他就感覺味道有些不對，嘴裡又澀又苦，當時有點蒙了。趕緊又仔細地打量了幾眼，這才發現它確實和胡蘿蔔有些區別。表面有些發黃，上面還有疏淺斷續的粗橫紋和明顯的縱皺，全身長著很多細長的鬚根，鬚根上還長著些細小的疙瘩，他心裡也有點拿不準了，難道這就是傳說中的人參？

老羊倌眼見這根老人參被徐青山咬成了兩截，氣得山羊鬍子撅起老高，用手點著徐青山的腦袋：「你個小兔崽子，就是個受窮的命，多好的一根人參，讓你生生地給糟踐了。這玩意兒拿到縣裡，少說能賣個千八百的，就讓你這饞嘴給啃了！」

徐青山聽老羊倌一罵，知道闖了禍，自知理虧，也不敢還嘴。直到老羊倌罵完了，他這才嘿嘿一笑，用手順了順老羊倌的後背：「師傅，其實要說這事，你也不能全怪我，誰會想到這窮山溝還能挖到人參，要說平時也沒見你挖什麼好東西，都是些婆婆丁、小頭蒜啥的，你這一下子挖出這麼個好東西，我感覺有點兒突然啊！」

老羊倌知道生氣也沒辦法，聽徐青山說的也是那麼個道理，晃了晃腦袋，指著徐青山的鼻子說：「小山子啊，要說這人參，是我眼瞅著長大的，都等了十幾年才給挖出來，本來尋思著賣幾個錢，留著給你娶媳婦用，你這一嘴下去可倒好，全白搭了！」

老羊倌歎了一口氣，看了看這兩截的人參，自言自道：「白瞎了這根人參了，蘆圓長，皮老黃，也算是罕見的珍品，就這麼折了，十多年就算白忙活了。」

老羊倌長吁短歎了半天，只留下了稍小的一截人參，然後把那稍大的一段往徐青山手裡一塞，讓他給村東頭老王頭送去。那老王頭身子骨虛，正好給他補補。

自從這以後，老羊倌隔三差五就能挖到一些藥材，什麼平貝母、龍膽草、黃芪、天麻、紅景天的。挖到藥之後，老羊倌讓徐青山上班時順道賣給縣裡的藥店，雖說這些藥不怎麼值錢，但是多少也能賣個百八十塊的。一個月下來，也能賺個千八百的，這收入在農村也不是個小數目了。

徐青山剛開始不怎麼在意，以為這老羊倌經常在山上轉悠，也認得些草藥，以前也偶爾挖一些草藥回來，曬乾後都裝在小布口袋裡。一旦有個頭疼腦熱的，就自己摸出一些來，熬些湯水，喝下去後還真管用。

不過天長日久，徐青山也覺得這事有些蹊蹺。因為這老羊倌挖出來的東西越來越多，很多藥材的名字，不僅是他，就連縣裡藥店的人都不認識了。

有一次，徐青山拿了一種藥材送到縣裡常去的那家藥店，藥店裡的人都認識他了，知道他總能帶來些很不錯的藥材，但這次他帶來的東西，卻難住了店裡所有的人，竟然沒有一個人認得。

徐青山自己心裡也沒底，懷疑是不是老羊倌給弄錯了，真是這樣的話，這人就丟大了，藥店的人不把他當騙子給罵出來才怪。商量之後，他留下藥材給藥店的人仔細辨識，自己先去上班了。

等到下班後回到藥店時，天色已晚，藥店已經沒有什麼人了。徐青山看到店裡坐著個老先生，他一進門，老先生就在打量他。事後，他才知道這老先生是位老中醫，行醫五十多年，已經在此等了他好幾個小時了。

原來，徐青山帶去的那味藥材，果真是古藥方中很珍稀的一味，這老先生也是查了一大摞子的醫書，才在一本古書上找到了，書上的藥名和功效與先前徐青山說的是一般無二。

這老中醫等了這麼長的一段時間，就是想認識認識徐青山，看到他竟然是這麼年輕，忍不住搖頭歎氣，感慨自己行醫看病這麼多年，竟然還不如一個挖藥的後生有見識，真是白活於世上了。

從縣裡回來的路上，徐青山心裡也開始犯疑，這些稀奇古怪的野生草藥，連七十多歲的老中醫都沒有見過，老爺子是怎麼知道的呢？從來沒有聽說老爺子會看病治人，他用的那些藥方也都是民間的一些土方子，根本上不了檯面。要是偶爾認得一味兩味稀奇的藥材也就罷了，可是隔三差五就能弄些稀奇的東西出來，好像村後頭的那群大山是他自家菜園子似的，想拿就拿，要啥有啥，這事有點兒不簡單。徐青山想來想去，覺得這老羊倌肯定是有什麼事在瞞著自己。

——自從這以後，徐青山留意起老羊倌來。

一天夜裡，徐青山被蚊子給咬醒了，他翻了個身，把腦袋往毯子裡一蒙，準備接著再睡。就這工夫，突然就聽到東屋的房門輕輕地一響，好像是有人，徐青山一激靈，當時就清醒了，難道進來小偷了？

想到這兒，徐青山慢慢地坐起身來，豎著耳朵聽了聽，果然屋外有腳步聲，聲音很輕，像是踮著腳尖一樣，很快地，房門一響，好像是有人出去了。

徐青山一骨碌從炕上爬了起來，隨手套上褲子和背心，趿拉著鞋就推開了自己的房門。走到東屋，叫了聲「師傅」，見沒有人應答，輕輕一拉房門，房門竟然開著，他借著月光看了看屋裡，師傅的被窩空空的。

徐青山大吃一驚，這老爺子三更半夜的不睡覺，這是作的什麼妖呢？

他心裡狐疑，趕緊出了屋子，推開房門，悄悄地追了出去。

外面風清月皎，芒寒色正，晚上天氣倒也涼快。這時候，家家戶戶早都關燈睡覺了，夜深人靜，蟲鳴陣陣。

徐青山借著月光，遠遠地看到有個人影，直奔村後的大山，他趕緊跟了上去。

就見那道人影三晃兩晃，速度很快，根本沒有停留，直接就上了山。

徐青山在後面緊盯著，腳下也加了勁，心裡不住地嘀咕，看這身形倒像是老羊倌，不過這速度也太快了，平時可沒見老爺子身手這麼利索，這大半夜的上山來幹啥呢？就這上山的速度，比兔子慢不了多少，稍不留神就得跟丟了。徐青山眼睛也不敢錯神，手蹬腳刨，勉勉強強地在後面跟著。

等到他追到了半山腰，前面的影子卻不見了。

徐青山站在半山腰上四下看了看，當時就傻了眼了。山上茅封草長，滿目荊榛，看著都有些害怕。這山上毒蛇野獸雖然不多，但並不是沒有，萬一這黑燈瞎火的再碰上點啥，赤手空拳的還真不好對付。

最主要的是這山上的蚊子個頭極大，就像是要吃人似的，撲頭蓋臉地就圍了上來，衝著徐青山輪番不停轟炸。

徐青山連著拍死了兩隻蚊子，把手上的血撚了一下，四下掃了一眼，也不敢再多逗留，想了想，奔著上山的方向又追了過去。

這座大山蜿蜒數十里，徐青山從小就爬上爬下，只不過一直也沒往深處去過。前些年，村裡有人去深山裡打獵，結果就遇見了熊瞎子。最後，那人好不容易才逃了出來，一張臉就剩下了半張，折了一隻胳膊，斷了一條腿，自從那以後，誰也不敢再往山裡去了。

徐青山越往上爬，心裡越是害怕，雖然平日裡爬了不知道多少回了，但是夜裡上山還是頭一遭，腳下的蛤蟆不停地跳來跳去，各種昆蟲都圍著他全身打轉，一會兒的工夫，身上就已經被咬了幾十個紅包，癢得要命。

徐青山撓了撓被蚊子咬的大包，停下了腳步，搖了搖頭，心想：這麼找下去也不是辦法，也許老羊倌根本就沒上山，說不定在半山腰就繞到旁邊去了。自己這麼傻找，根本就不靠譜，老羊倌這麼大歲數了，又不是小孩，既然是背著自己，肯定是不想讓自己知道。

他想到了這兒，不覺歎了口氣，正準備下山回家，可是剛想轉身之際，突然有人在背後拍了他肩膀一下。

這深更半夜的，肩膀冷不丁地被人拍了一下，徐青山嚇得差點沒尿了褲子，身子激靈一下，打了個哆嗦，結結巴巴地喊了一聲：「誰……誰呀？」

第5章

牽羊術

徐青山壯著膽子，回頭一看，發現竟然是老羊倌。

他這才長出了一口氣，用手撫了撫胸口：「我說老爺子啊，你這大半夜的不好好睡覺，上山幹啥來了？咋像鬼似的一點動靜都沒有呢？」

老羊倌看了看徐青山，見他從頭到腳，除了臉上好點，全身都快被蚊子給叮爛了，身上明顯胖了一圈。老羊倌趕緊從包裡掏出個小瓶子，把裡面的粉狀東西倒出了一點用手心搓了搓，然後往徐青山的胳膊和大腿上抹了幾下。

這東西抹上後，雖然並不馬上止癢，但是那些蚊子立刻就遠遠地躲開了。

徐青山有點看傻了，看了看自己身上，問老羊倌：「老爺子你給抹的是什麼東西？咋比DDT還厲害呢？」

老羊倌把瓶子收好，抬眼看了一眼徐青山，見他也老大不小了，也不想瞞他一輩子。長歎了一口氣，嘴角擠出一絲苦笑，這才一五一十地把事情的原委都告訴了徐青山……

老羊倌其實正是當年的四喜子，當年「牽羊」意外失手之後，師傅的死讓他有些心灰意冷。從小到大，他都是跟著師傅，也沒有什麼親人，還沒等到他孝敬師傅呢，沒想到師傅為救自己竟然死了，他心裡很愧疚，萬念俱灰。「牽羊」雖然有機會大富大貴，但是唯一的親人都不在了，他再也沒心思再想這些了，閉上眼睛總能想到當年的慘狀，所以打從心底不想再吃這碗飯，再冒這個險了。

小營子村離葫蘆頭溝只有幾百公尺，住在這裡能陪著師傅，他心裡也好受些。沒想到，這一住就是三十年。

這些年來，雖然沒有錢，可是也沒什麼大開銷，攢吃攢穿，過得也算是踏實。不過，眼下沒錢給徐青山娶媳婦，老羊倌覺得心裡有些過意不去。自己這輩子也就這樣了，總不能再耽誤了徐青山，想來想去，他這才重操舊業。

沒事在這山上轉悠時，碰見些藥材也就順手給採了，好在徐青山總去縣裡幹活，隔三差五就能賣點，多少也能替他攢下幾個錢。雖然這些藥材都稱不上是什麼「天靈地寶」，但是順手牽羊，也不費事，蚊子再小也是一塊肉，總比沒有強。

徐青山聽完之後，眼珠子瞪得挺大挺大的，盯著老羊倌，好半天才開口說話：「老爺子，你說的是真還是假？不是白天電視看多了吧？還是評書聽多了？啥玩意兒牽羊牽馬的？你不是在糊弄我吧？」

老羊倌朝著徐青山一瞪眼睛：「你個小王八羔子，說出來你也不懂。等著瞧吧，用不了多久，師傅保證把鄰村的大英子，給你娶回來當媳婦！」

徐青山一聽，直晃腦袋：「不行，那可不行，那大英子我可不稀罕，我看不如咱村的二丫好，二丫眉清目秀的，體形也瘦溜，幹活還麻利！」

老羊倌哼了一聲：「你懂啥啊！那大英子一看就會生養，將來肯定能給你生個大胖小子。那二丫一看就是身體不行，子宮受制，不會生育，這事兒和你說了，你也不懂！」

徐青山聽老羊倌說得有板有眼，一時有點兒語塞。老羊倌呵呵一笑，告訴徐青山，他看人從來沒走眼過，說的句句都屬實。隨後，他給徐青山講起了「牽羊」的門道。

這「牽羊」一門屬於盜門，不在三百六十行之內，不屬工農兵學商之內，是外八行中的一個分支。外八行中最大的就是「盜行」，天下沒有本錢的買賣都可歸類於此，無論是走千家、過百戶的飛賊土鼠；還是荒郊野嶺、挖墳掘墓的摸金術士；或者是占山為王、打家劫舍的土匪鬍子，統統都是盜行之人。

盜行的流派眾多紛雜，而「憋寶相靈」就是其中的一個分支，要說起來也是大有來頭。行行有道，幹這行的人都有「四絕」，就是觀天、相地、踩龍和盤口。

「觀天」即是夜觀天象，看吉星方位及星芒黯淡，就可辨天地間吉氣旺方，生氣流向；「相地」則是尋山看水，看風水知龍脈格局，就可知穴口生氣流轉，知砂水之貴賤；「踩龍」則是說這行人奇藝精絕，本領高超，既可上山捉虎，又可下海擒龍；「盤口」則是說見多識廣，山、醫、相、命、卜，無有不精，察言觀色，相面知心，是入門的基本功。

徐青山聽老羊倌口若懸河地說個不停，都快聽傻了。他實在想不到老羊倌，竟然還是位奇人異士，還真是人不可貌相，海水不可斗量。這麼多年了，他愣沒看出來。

徐青山正是二十多歲，熱血沸騰的年紀，聽評書聽了十多年，對於江湖綠林道十分嚮往，恨不得自己就是位行俠仗義的江湖大俠，沒想到自己的木匠師傅竟然就是位江湖奇人，頓時有些欣喜若狂，對老羊倌是肅然起敬。他眼珠一轉，動了心思。

他趕緊給老羊倌遞上一根煙，然後殷勤地幫著點上火。

等老羊倌抽了幾口後，徐青山這才往前湊了湊，朝著老羊倌嘿嘿一笑：「師傅，你說的這『牽羊』要不教教我吧，這也算是發揚光大，後繼有人了。以後咱爺倆一起出馬，行走江湖，拉馬牽繩也有個幫手。那還不是吃香的喝辣的，用不著像現在這樣累得像是個王八犢子似的，一年到頭也掙不了幾個錢！」

老羊倌聽了臉色一沉，看了一眼徐青山，搖了搖頭告訴他，以後就別惦記這事了，死了這心得了，這種事不是他能學的。

徐青山一聽有些納悶，就問老羊倌，為啥他就不能學呢？

老羊倌了解徐青山，知道這小子雖然平時嘻哈說笑，沒個正經樣，但是死好強，從小就喜歡打破砂鍋問到底，弄不清楚，這事也沒完。他歎了一口氣，告訴徐青山，學這門手藝，的確是有機會大富大貴，但是有句話說得好，「富貴險中求」，有多大的貴，就有多大的險，這行裡拎著腦袋過日子，說不定哪天，小命就得扔在裡頭了。當年他師傅手段可高了，最後還不是把命都給搭上了。

說到這兒，老羊倌搖了搖頭，一陣苦笑。好半天才抬起頭來，看了看徐青山，接著說道：「最主要的還有一條，就是幹這行的，一輩子都不能結婚，不能生孩子，否則全身會血脈盡斷，七竅流血而亡。」

別的倒還好，徐青山並沒怎麼介意，可是一聽這個，當時就嚇得一吐舌頭。不能結婚生孩子，這事兒可有點嚴重了，怎麼還有這一說呢？一想到二丫，徐青山晃了晃腦袋，有些打不定主意了。

老羊倌盯著徐青山哼了一聲，朝著山下一指：「天也不早了，咱爺倆還是回家睡覺去，你就趁早斷了這心思吧！入了這行，就要守規矩，行行有道，這種事，試不得。」說完自顧自地下山了。

看著老羊倌的背影，徐青山這才弄明白，真沒想到，老爺子打光棍還有這麼一說。自己還納悶呢，要說老爺子不缺胳膊不少腿的，又有手藝，咋會一輩子連個媳婦也都沒混上呢？原來是有不得已的苦衷。聽老羊倌話裡話外的意思，也是一肚子苦水，估計打光棍也不是件容易的事，自己還真得從長計議。

往山下走著，徐青山問道：「師傅，你咋裝扮成這樣呢？這身衣服土不土，洋不洋的。還有，你剛才那瓶裡裝的到底是啥玩意兒？一股子怪味，抹上蚊子咋就不咬我了呢？」

老羊倌頭也不回，哼了一聲：「所謂小雞不撒尿，各有各的道，你上山走了這麼遠了，吃啥虧了，你自己還不知道嗎？」

徐青山不由得自己打量了一下自己，又看了老羊倌的綁腿，若有所悟地點了點頭。看來，打上這綁腿，最起碼蚊蟲咬不著了，就連樹枝雜草、尖岩碎石也自然刮不到了，極方便山林裡走路，看來還真是有點門道。

老羊倌放慢了速度，和徐青山並排走著，他告訴徐青山，剛才那瓶裡裝的東西叫「百里香」，是「牽羊」必備的物品之一，是自己配製的。就是把花椒、艾葉、煙葉、雄黃等東西研成粉末後混在一起就行了，抹上這東西，蚊蟲不叮，昆蟲不咬，就連毒蛇聞到了也會繞道走，穿山越嶺的要是沒這東西，羊還沒等牽到，自己就先翹辮子了。

聽老羊倌說得有板有眼，徐青山的眼珠又直了，對這牽羊的行當更加好奇了，但是為啥這行就不能結婚生孩子呢？要是沒有這條該有多好，就不用犯這難了，一想到這兒，徐青山頓覺興味索然，連連歎氣。

第6章 天靈地寶

天地之間，山水之源，一股靈氣與生俱來，永不枯竭，行於地下。地中有氣則發生萬物，就像是土高水深、草茂林密之地，必定氣旺。

氣之旺衰就自然形成了各種各樣的地貌，這地貌就和人的長相一樣，大致可以分為八種相格，分別為：威、厚、清、古、孤、薄、惡、俗。

威、厚、清、古為四傑地，多有天靈地寶，稱為「紅羊」。

孤、薄、惡、俗為四醜地，鮮有天靈地寶，稱為「黑羊」。

有陰必有陽，有圓就有缺，外八行裡自古就有著這麼一夥人，南方叫做「憋寶」，北方叫做「相靈」，民間則都稱為「牽羊」，自稱為「羊倌」。

南北兩派找寶與取寶的方法不盡相同，手段上也是各有千秋，但目的都只有一個，就是為了那些鮮為人知的「天靈地寶」。

說白了，其實是兩種東西，一種是「天靈」，一種是「地寶」。

「天靈」是活物，是些有靈性和道行的畜生。一般都是通過吸收日月山澤之氣，使之在體內慢慢地演變，天長地久，身體發生了變異，從而體內生「寶」，但是這種機率不足萬分之一，可遇而不可求。

成了精的蜈蚣身上有「定風珠」，成了氣候的狐狸身上有「火雲丹」，這些都是世間難得一遇的寶貝，是真正的無價之寶。所以一般把修行在一甲子（六十年）以上才結出的靈物稱為「上靈」；而一甲子以內的則稱為「中靈」；至於那些「牛黃馬寶」，雖然也是價值不菲，世間難求，但也只能算為「下靈」。

「地寶」一般都是死物，雖說是死物，但是這類東西也是靈氣充沛，獨得天地之精華。金銀珠寶埋在地下的時間要是長了，就會幻化出人形來，而不同的寶貝幻化出來的人形也不一樣，有句口訣是：金銀童子玉嬌娘，珍珠小妹，奇器醜郎。牽羊人可以根據幻化出來的人形，推測出地下所埋的到底是什麼寶貝。

民間傳說最廣的就是成了精的人參會變成人參娃娃，蹦蹦跳跳出來玩耍，只要用根紅線的繫在他的身上，天亮後就可以找到千年人參。

這些能幻化成人形的寶物都稱得上是「上寶」，世間少有；而那些奇花異草，雖得日月之精，有起死人，肉白骨之能，但是也只能稱得上為「中寶」；至於地下埋著的金疙瘩或是銀塊子，還有什麼珍稀草藥，就算是價值萬金，也只能稱為「下寶」。

「天靈地寶」之下的其他東西，行內都稱之為「瓜」，按其珍貴程度，分為「大瓜」和「小瓜」。但是也沒有什麼具體的界限，就像人參一樣，十年以內的還是「小瓜」，百年以上的就算是「大瓜」了。而老羊倌先前挖的那些藥材雖然也值幾個錢，但是連「小瓜」都稱不上。

老羊倌走在前邊一口接一口地抽著煙，一邊走，一邊告訴徐青山，這「天靈地寶」可不是那麼容易就能找得到的，這和採蘑菇是兩碼事，有的人甚至是找了一輩子，結果連個「中靈」或是「中寶」都沒有見到過，而且有靈氣的地方未必就會有「寶」。

就算是「上清上古之地」，也未必一定會生有寶貝，只不過相比於那些「醜地」，有寶的機率要大一些。

老羊倌說到這兒，長歎了一口氣：「唉！當年我和我師傅在這兒牽羊，為的就是赤血寶蟾的蟾衣。那蟾衣雖然比那定風珠還有火雲丹要差點兒，但好歹也能算得上是『中靈』了，雖然沒有得到，但這輩子也算是開了眼了。」

徐青山在後面聽老羊倌娓娓道來，心裡暗自吃驚，原來老羊倌當年失手竟然是栽在了「中靈」上，那「赤血寶蟾」又是什麼東西呢？聽他話裡的意思，好像很不簡單，竟然還只是「中靈」，要「上靈」就更不敢想像了。徐青山突然想起前陣子，老羊倌經常拿回來的那些藥材，這時他才恍然大悟，便問老羊倌，先前那些藥材是不是他在這山上找到的「寶」，應該算是「地寶」了吧？

老羊倌回頭沖著徐青山撇了撇嘴：「你以為『地寶』那麼容易能找得到，隔三差五就弄點回來？那些東西，根本就放不上檯面，連個『小瓜』都不是。要是放在以前，我碰上了都懶得理會，現在是事兒都趕在一起了，沒辦法才順手牽羊給弄了回來。這要是在過去，一個牽羊的，還滿山遍野地刨草藥，說出去得讓人笑話死！」

徐青山一伸舌頭，不吱聲了。

老羊倌走著走著，突然停了下來，指著前面不遠的一處山凹對徐青山說道：「小山子，其實我上山來不為別的，你看那邊的山凹，前不久我就發現那裡突然有一股青灰之氣沖天彌地，好像是來了什麼『野羊』，不過我一時也不好斷定到底是什麼東西，所以沒敢輕舉妄動，一直都在暗中觀察著。『牽羊』這玩意兒，沒有一定的把握，千萬不能逞強，搞不好，羊肉吃不著，倒空惹了一身膻。」

徐青山聞聽，趕緊伸脖子往那兒看了看，可是前邊黑漆漆的，什麼也看不見，就問老羊倌，說的到底是哪裡，他怎麼看不到有什麼山凹，什麼青灰之氣。

老羊倌用手指了指斜前方，讓徐青山順著他的手指往前看，也就是五百公尺左右的樣子，就在那兩棵榛子樹附近。

——榛子樹？

徐青山眼珠瞪得跟燈泡似的，也沒看清到底哪有榛子樹。他看了看老羊倌，不禁苦笑：「師傅，你這是張天師畫符，連人帶鬼一起蒙吧？別說五百公尺，這五十公尺外，都看不清楚，還榛子樹，真的假的啊？」

老羊倌抬頭看了看天，之後朝徐青山歎了口氣：「我倒是忘了，你也算是肉眼凡胎，看不清楚也不能怪你。這眼睛也得經過專門的練習後才能適應夜裡的光線，夜視能力是牽羊人必須具備的基本功，沒有三把神沙，也不敢倒反西岐。就在這深山老林裡的，要是啥也看不清，一百條命也不夠糟踐的，還牽個屁羊啊！」

徐青山皺了皺鼻子，又瞇縫著眼睛看了看對面，依然還是什麼也看不見，他一臉掃興，朝老羊倌念叨道：「老爺子，聽你這話，這也太神了！你這和孫猴子打一架，三百回合都難分勝負，會不會騰雲駕霧、七十二變啊？」

老羊倌對徐青山呸了一口：「真要是有那麼神，我還深更半夜跑出來遭這洋罪，你那腦袋整天不知道尋思個啥，一陣明白，一陣糊塗。要說這裡面的道道，三天三夜也說不完，你聽個樂和也就完了，也就別打聽了，打聽也是白扯，趁早斷了這個念頭好了！」

徐青山愣了老半天，才又擠出一句話來：「老爺子，你說我能不能先結婚生子，後學這牽羊呢？」

老羊倌聞聽，差點兒氣個倒仰，罵道：「你個猴崽子，虧你想得出來啊！這憋寶也好，相靈也好，都沒有娘們幹的，就是因為她們身上陽氣太弱，難免會招上些邪性東西。人只要一結婚，體內陰陽二氣互融中和，再去牽羊尋寶，什麼陰邪之氣都得招上，你這餿主意趁早打消好了，別想！」

徐青山摸了摸腦袋，自訕地笑了笑：「我就只是問問嘛！」

——人一旦產生了好奇心，總想知道個究竟。

徐青山也一樣，只不過他一想到要一輩子打光棍，心裡總有些猶豫不決。娶媳婦這回事，他雖然只是懵懵懂懂，但是畢竟也老大不小了。平日裡沒少聽結婚的哥們扯葷段子，聽得他面紅耳赤，血往上湧，做夢都尋思著能娶個媳婦，用這個當代價，實在有點兒太大了。

徐青山晃了晃腦袋，長歎了一口氣，心說這事暫時就先放下了。

眼見月亮都已經偏西了，爺倆也不多耽擱了，借著月光，一前一後，便往山下走去，一邊走著，一邊閒聊。

說著說著就又說到了娶媳婦這件事上。老羊倌信心滿滿，胸有成竹地讓徐青山不用惦記，用不了幾天，只要他能看出這隻野羊的路數，以他的能力，肯定能把牠圈住，就算不是什麼天靈地寶，娶個媳婦應該夠了。到時候就給大英子家過彩禮，把她風風光光地娶過門來，熱熱鬧鬧地操辦一場，流水席吃個五天，也算揚眉吐氣一回，然後就消消停停地等著抱孫子囉。

徐青山心裡一陣感動。別看老羊倌平時和別人說話辦事八面圓通，虛虛實實，但是對他，那真是實打實地好，就算是親爹也未必能做到這樣。眼看著都快到了安享晚年的歲數了，竟然還會為了他的事鋌而走險，徐青山心裡有些不是滋味。

徐青山知道，這事肯定也不是容易事。一想到老羊倌剛才說起的那段舊事，他心裡不免隱隱有些擔心，打心眼裡不想讓老羊倌再去為他冒這個險，可是話到嘴邊，卻又不知道該如何開口，心裡亂成一團。

第7章

災獸狏即

村子就在山腳下不遠，三十幾戶人家多是清一色的磚瓦房、籬笆院，每家的房子看起來都差不多，只有老羊倌他們住的還是幾十年前的土坯房，夾在這些紅磚灰瓦中間，顯得十分扎眼。

這爺倆東拉西扯，說說笑笑，從山上下來後，順著小路就進了村子。剛走進村口，突然就聽到一陣狗叫聲。

徐青山渾不在意，早就習慣了。這守夜的狗很機靈，誰半夜出去撒尿的動靜要是大點兒，半屯子的狗都能叫起來，所以他根本就沒當回事。

可是老羊倌身子一激靈，突然一把就拉住了徐青山，也沒說話，朝他比劃了個手勢，示意他站著先別動，而自己則往前邁了兩步，側著耳朵聽了起來。

也不知道是誰家的狗在叫，冷不丁地「汪」了一聲之後，就沒了動靜，好半天後，又突然「汪」了一聲。剛開始還以為是狗在亂吠，但是聽一會兒就會發現，這叫聲極有規律，基本上都是間隔十幾秒就會叫這麼一聲，好像是在沖著什麼東西叫一樣，只不過叫聲這麼慢，實在有些奇怪。

老羊倌聽了一陣後，臉色一變，回頭對徐青山小聲地說道：「小山子，這狗叫聲聽著有點不太對，前邊好像有東西。」

徐青山一怔，看了看老羊倌，忍不住笑了：「師傅，狗瞎叫喚幾聲能有啥東西，咋一到晚上你就變得神神叨叨的！」

老羊倌朝著徐青山的腦袋拍了一下，罵了一聲：「你個兔崽子，別胡說八道，那狗叫喚的動靜不對！」

「動靜不對？」徐青山張著大嘴，不停地眨巴眼睛，上下打量了好幾圈，用手指了指老羊倌，「師傅，你還懂狗語？」

老羊倌氣得狠狠朝他一瞪眼：「你才幾兩深淺，別看這狗是畜生，但是眼睛可好使，夜觀陰，日辨陽。《相靈古譜》上曾經說過，『狗急叫人，狗慢叫仙，不急不慢叫陰間』，你聽這狗叫得這麼慢，肯定是看到了什麼東西。」

徐青山張著大嘴，當時就愣在那兒了，老羊倌說的這些事他可是從沒聽說過。見老羊倌說得一本正經，不像是在開玩笑，心裡也就沒底了，往前看了一眼，擠出一絲苦笑：「師傅，你的意思是說這狗看到神仙了？」

老羊倌點了點頭：「有這個可能，不過，這神仙不都是天上的大羅金仙，像一些有靈氣，有道行的動物自己都能修行，像『胡黃白柳灰』就是最容易修煉成精的畜生，成精後，有了道行，就也稱為『仙家』。」

「胡黃白柳灰五仙」即——狐狸、黃鼠狼、蛇、刺蝟及老鼠。也是山邊鄉村中最常見的幾種野生動物。

在東北仙堂信仰中，將這些精靈尊之為「仙家」，祈求它們保家護宅，逢凶化吉，稱為「保家仙」，在此類仙堂中常見到「常天龍」、「蟒天龍」、「胡翠花」等牌位神像，供的其實就是這些「仙家」。

老羊倌不敢怠慢，拉著一頭霧水的徐青山往旁邊一拐，下了村路，沿著路邊的壕溝貓著腰往前走，躡手躡腳地在柴禾垛後慢慢地靠了過去。

徐青山還是頭一次碰到這種事，緊張得心怦怦直跳，身子隱在柴禾垛後，好奇地伸著脖子，順著老羊倌手指的方向望了過去。

月光雖然皎潔，但是畢竟不像白天，徐青山抻著脖子看了半天，什麼也沒看到，他有些沉不住氣了，用手掩口，壓低聲音問老羊倌：「師傅，看啥玩意兒啊？」

老羊倌指了指斜對面六、七公尺遠的柴門，然後示意徐青山往下看。

徐青山眨了眨眼睛，踮起腳尖，伸脖子又看了看，這回總算是看到了。在柴門下好像站著一條狗，看體形高大威猛，一身黑毛油光鋥亮，而整條尾巴卻是雪白雪白的。這種毛色的大狗倒還真是頭一回見到，他忍不住地就多打量了兩眼。

老羊倌視力極好，看了兩眼後，壓低聲音告訴徐青山，這隻大狗可不是普通的土狗，這是一種災獸，叫做「犺即」，黑身白尾，紅嘴紅眼，傳說這東西在哪兒出現，哪兒就會有火災或是兵亂。

一聽說是災獸，徐青山眼睛放光，趕緊搭眼又看了看。

不過，看來看去，那條大狗除了毛色有些異常，並沒有其他的特別之處，只見牠正隔著柴門盯著門裡的那條土狗。對面的那條土狗蔫頭耷耳，瘦骨嶙峋，有氣無力地盯著這隻災獸，時不時地叫喚一聲，不知道這兩條狗在玩什麼把戲。

「犺即」在《相靈古譜》上有過記載，書上記錄，此犬是不祥的災獸，野生於山林之中，生性兇殘，會吐火。尤以皮珍，極禦寒，三九如夏。據說，這身毛皮要是能扒下來，三九天赤身披著都會溫暖如夏，是一件難得的寶物，算得上是「下靈」。

老羊倌盯著那隻大狗咽了口唾沫，低頭看了看自己的鹿皮兜子，抬手搓了一把臉。事先也沒有準備，沒想到會偶遇到一隻肥羊，但也只能先過過眼癮，赤手空拳根本就牽不住。傳說這東西極其歹毒，根本近不了身，只要一張嘴，就會吐出一長串的火龍來，沾身即燃，頃刻就會骨斷筋裂。

這「狍即」再怎麼說也是隻靈物，不可能會無緣無故地從山裡跑出來。老羊倌畢竟有些江湖閱歷，對這些事格外敏感，看著柴門內時不時低聲嗚咽的那條土狗，他運足目力，仔細地打量了一陣，終於恍然大悟。

老羊倌剛要說話，屋子裡的燈突然亮了。

「吱呀」一聲門響後，劉老大光著膀子出來了，用手電筒往院子裡照了照，見沒有什麼東西，就朝著那隻土狗吼了一聲，罵罵咧咧地回去接著睡覺了。

那隻狍即受到驚嚇，就在燈光亮起的那一瞬間，身子一抖，迅速地轉過身子跑開了，黑暗中，像是一陣風一樣朝著老羊倌他們所在的方向就衝了過來。

徐青山畢竟沒有經歷過這種場面，眼見那條大狗疾奔過來，心裡驚慌，「啊！」忍不住叫了一聲。

隨著這聲驚叫，本來疾跑如飛的大狗身形急轉，硬生生地轉了個九十度彎，一頭就扎進了旁邊的柴禾垛裡，嚇得老羊倌趕緊拉著徐青山連滾帶爬地從柴禾垛裡鑽了出來。

與此同時，就見火光一閃，濃煙四起，眨眼間，火光沖天。幾公尺高的柴禾垛瞬間就籠罩在火海之中，一股熱浪劈頭蓋臉地湧了過來，老羊倌和徐青山嚇得趕緊又往後退了幾步。

農村的柴禾垛，都是一家挨著一家，堆得像是小山一樣，一旦著起火來，只要有一股小風，火星一躥，很容易就會火燒連營，真要是整個村子的柴禾垛都燒著了，後果不堪設想。

老羊倌趕緊跑到相鄰的柴禾垛旁，把柴禾往旁邊用力地踢了踢，留出一片空地，然後讓徐青山變著聲音扯嗓子使勁喊幾聲。

徐青山這時候也嚇傻了眼，聽老羊倌一說，也來不及問為什麼，扯著嗓子就喊了幾聲：

「著火了！著火了！救火啊！」

本來夜裡就靜，這幾嗓子一喊下去，全村子的雞鴨鵝狗都被驚著了，一時間，雞鳴狗吠，鬧哄哄地亂成一團。

各家各戶的燈先後都亮了起來，這才發現外面的天都燒紅了，接著就是大人喊，小孩哭，整個村子都炸了鍋。

老羊倌見已經有人衝出來了，趕緊拉了一把還傻站著的徐青山，往旁邊的柴禾垛後一貓，順手拉了幾捆柴禾擋住身體，躲了起來。

徐青山一頭霧水，小聲地問老羊倌，為什麼不救火，貓這兒幹啥啊？

老羊倌身子儘量地往裡縮了縮，壓低聲音告訴徐青山：「這把火就是把咱爺倆都扔進火堆裡，也壓不住，只要不燒到旁邊的柴禾垛，隨它燒去吧。眼看著就有人過來了，被人撞見，問這火是怎麼燒起來的，咱也不好解釋，多一事不如少一事。等一會兒人散了，咱爺倆再回去。」

徐青山瞪著眼睛看著老羊倌，點了點頭：「師傅，這薑還是老的辣啊，只不過這是不是有點不仁義啊？」

老羊倌哼了一聲：「仁義？頂個屁用，你要是想仁義，也不差這一回！」

徐青山咧著嘴搖了搖頭，這老爺子這會兒整個道地老江湖，眼睫毛差不多都是空的，拔下來都能當哨吹。

這時候，外面已經開了鍋，人聲鼎沸，雞飛狗跳。最終，這火還是沒辦法撲滅，只能等到燒得差不多了，村民們這才用水澆了澆，用土埋了埋，瞅著也沒啥大事了，也就相繼回屋睡覺去了。

等到外面沒啥動靜了，老羊倌從柴禾垛裡鑽了出來。看著眼前的灰燼，老羊倌搖了搖頭，心想，這災獸還真是災獸，沒想到說得還真準，真就放了一把火，看來也是天意，就算是小山子不叫喚，估計這畜牲也會有別的岔頭。

徐青山越來越覺得老羊倌深藏不露，還真有點世外高人的意思，好奇心也就大了起來，問老羊倌知不知道那災獸為啥進村子，還站在劉老大家門口一動不動。

老羊倌哼了一聲，告訴徐青山，不是為了別的，就是因為那隻土狗。

第8章 狗寶

土狗？

徐青山撓了撓腦袋，聽得一頭霧水，不知道老羊倌葫蘆裡到底賣的是什麼藥，只能咧著大嘴看了看他。

老羊倌笑了笑，告訴徐青山，別看那條土狗瘦不拉嘰的，但是身上還真有件寶貝。

徐青山來了興趣，興致勃勃地追問老羊倌：「那條瘦狗皮包骨的，肋條都能數得出來，能有啥寶貝？」

老羊倌回頭看了看徐青山，一字一頓地說道：「狗寶！」

徐青山一聽，目瞪口呆。這狗寶雖然沒有見過，但是他可不止一次聽說過，據說花生米那麼大的一塊狗寶就能賣幾千塊，比金子都值錢。打死他也沒想到那條瘦狗身上會有狗寶，他半信半疑地盯著老羊倌。

狗寶自古與牛黃、馬寶並譽為「三寶」，是傳統中醫裡很名貴的藥材。自古就是可遇不可求，價值不菲，其珍貴程度不言而喻。

老羊倌一邊往前走，一邊告訴徐青山，狗寶生於癩狗腹中，狀如白石，帶青色，其理層疊，是難得之物。這東西極其少見，多產於病狗體內。剛才他看那隻土狗毛髮雜亂，蓬鬆如草，大夏天的毛都要掉光了，別看是條禿尾巴狗，眼神也死氣沉沉的，但是他敢斷定，這條狗的體內必定有寶！

徐青山聽後心癢難撓，有些喜形於色。不過，他很快又晃了晃腦袋，看著老羊倌咧了咧嘴：「師傅，有寶也是白扯啊，這狗是劉老大家裡的，咱這不是和尚看花轎，空歡喜嘛！」

老羊倌點了點頭：「就別想這些了，要是劉老大有這財命，他自然也就得了；否則，狗死寶滅。」

徐青山有些興味索然，不免長吁短歎，很快，他眼珠一轉，轉憂為喜，湊近老羊倌的耳朵低聲說道：「師傅，鹽打哪鹹，醋打哪酸，我找找根，你看你不能牽，是有什麼牽羊的規矩，但是我能牽啊！我又不是幹這行的，明天我把這狗買過來不就行了嗎？就那條破狗，找個耗子拴個繩就能換過來。」

老羊倌一聽，腳下拌蒜，差點兒就摔了個跟頭，多虧徐青山一把給拉了起來。還沒等徐青山說話，老羊倌氣得吹鬍子瞪眼，罵道：「你個兔崽子，我告訴你，這可不是開玩笑的事。牽羊，不能牽家羊，也不能賣弄，這是行裡的規矩。咱爺倆不是外人，我才告訴你這些，你小子要是敢打歪主意，到頭來，遭報應的可是我這老頭子！」

徐青山懵懵懂懂地點了點頭，趕緊表示，剛才就是順口說說，就算是窮死，也不會幹對不起師傅的事。

老羊倌這才放下心來，說著話的工夫，到了自家的大門前。

進了院子後，抬眼望天，眼瞅著天都要亮了，爺倆趕緊各回各屋，抓緊休息去了。

天亮之後，村裡人三三兩兩聚在一起，議論著凌晨的那場大火。

人多嘴雜，大家七嘴八舌地說個不停，越說越神。至於失火的原因，有人猜是故意縱火，說不定誰和劉老大結過仇，故意報復；也有人猜可能就是誰扔個煙頭，不小心給點著的，但著火的時候都後半夜了，誰還會在外面抽煙呢？想想又有些講不太通，這件事就成了村裡人飯後消遣的談資。

劉老大並不是坐地戶，當年是隨父親闖關東過來的，但是在這村裡住了也有幾十年了，平時老實巴交的，從來都沒和別人紅過臉，怎麼會無緣無故惹上這樣的禍事呢？

吃完早飯後，劉老大就蹲在自家門前的水泥管子上，吧嗒吧嗒地抽著悶煙，也不說話。看了一眼那隻瘦骨嶙峋的土狗，一想到昨天後半夜，狗不停地亂叫的事兒，這劉老大也有點兒犯尋思了，難不成真的有人和自己過不去？誰和我能有這麼大的仇呢？我也沒得罪過誰呀？這點柴火垛的事兒在農村可不是件小事，明擺著要讓人家停火斷炊，沒有什麼深仇大恨也犯不著幹這種損事，但是想來想去，也想不出來自己到底得罪過誰。

就在這憋屈惱火的工夫，那隻土狗哼哼唧唧地從院子裡走了出來，走到劉老大蹲著的水泥管子旁，一抬後腿，竟然撒了泡尿。

劉老大本來就窩了一肚子火，見這半死不活的土狗竟然跑到他腳下撒尿，當時就氣不打一處來，抬腿卯足了勁，衝著那條土狗就踹了一腳。

那條土狗悶哼了一聲，原地滾出去差不多有三公尺遠，沒好聲地嗥叫了起來，工夫不大，就見這條狗四腿亂顫，身子痙攣了幾下，最後竟然一動也不動了。

劉老大覺得有點不對，趕緊從水泥管子上跳了下來，走過去看了看，就見這條狗圓睜雙目，嘴角淌了一攤黑血，竟然死了。

劉老大頓時後悔不迭，心裡埋怨自己不該把氣撒在這狗身上，畢竟這狗就是個畜生，雖然說長得瘦不拉嘰的，但好歹也能看家護院，沒功勞也有苦勞，自己怎麼能如此大意，一腳就給踢死了呢？

但是事已至此，就算是後悔也沒用了，他看了兩眼，趕緊讓家人拿刀和盆出來，趁著土狗的血還沒凝，趕緊放血。這狗扔了也怪可惜的，倒不如把肉燉熟了，鄰里鄰居的都跟著吃點兒得了。

剛才還活生生一條狗，不到一個小時就變成一堆皮毛、一堆肉了。腸子、肚子、心、肝、肺等都倒在一個大洗衣盆裡，花花綠綠裝得滿滿的，騷臭難聞，不大一會兒，就招了一大群的蒼蠅，嗡嗡地飛來飛去。

劉老大指揮人在院子裡支好一口大鍋，架好木頭，把狗肉和骨頭都放進了鍋裡，撒上些鹽和花椒，就開始燉了起來。木頭火越燒越旺，時間不長，就飄出來陣陣香氣。

聞到狗肉香，神仙也跳牆。劉老大燉狗肉的消息很快就傳遍了整個村子，等老羊倌和徐青山聽到信兒趕到時，肉都快燉熟了。

徐青山看著扔在一旁的那盆下水，白花花的腸子、青灰色的肚子都混在了一起，上面落了一層的蒼蠅，瞅著就有些噁心，看了看老羊倌：「師傅，你看現在這樣，咱要點腸子啥的還算壞規矩嗎？」

老羊倌搖頭晃腦地東張西望，也不看徐青山，好像沒有聽到他的問話。

徐青山有些詫異，這老爺子平時也不耳背，今天這是怎麼了？他有些莫名其妙地搖了搖頭，聲音故意提高了些，又問了一遍老羊倌。

老羊倌轉過頭來看了看徐青山，皺著眉頭，一臉痛苦地對他說道：「小山子，可能早上吃得有點不對勁兒，我突然覺得肚子有點疼，我得先回去了。」說完後，也不等徐青山有所表示，自顧自地先回去了。

徐青山一頭霧水，看著老羊倌匆匆遠去的背影，有點兒摸不著頭腦。琢磨了半天，心裡恍然大悟，這老爺子也太油了，竟然裝病跑了，都說人老精，馬老滑，還真是這個理兒，借著回去上茅房，他倒鬧了個乾淨。

眼看著腳下這盆髒兮兮的下水，徐青山也不知道該怎麼辦，無奈地搖了搖頭。這時候，狗肉眼看就快燉熟了，劉老大抬眼瞅見了徐青山，指了指那盆下水，朝著徐青山一揮手：「小山子，幫劉叔把那盆下水扔了，那東西味太大了，招了一群蠅子，太討人厭了！」

劉老大說完後左右看了看，問徐青山：「老羊倌呢？剛才還在來著，怎麼一會兒工夫就不見了？」讓徐青山扔完東西後趕緊把他師傅也叫過來，一起吃狗肉！

徐青山一聽，有些意外，還沒等自己惦記呢，就主動送上門來了。指了指那盆狗下水，問劉老大：「劉叔，這東西你不要了？我隨便扔啊？」

劉老大憨憨一笑：「那玩意兒臭烘烘的，豬都不吃，趕緊找個地方，挖個坑，埋上得了，你愛扔哪兒就扔哪兒去！」

徐青山趕緊樂顛顛地端起了那盆狗下水，繞過房後，直奔自己家。

等到了家裡，見老羊倌正在炕上躺著抽煙，知道他也有為難之處，徐青山也沒戳穿，放下盆後，看了老羊倌一眼：「師傅，這盆下水劉老大讓我自己處置，我見這狗腸和狗肚還行，尋思著收拾收拾夠炒一盤的了，就先端了回來。」

老羊倌知道徐青山的心思，哼了一聲：「你個小兔崽子，要不是為了讓你娶媳婦，我還用得著這麼無賴，別說那些沒用的了。既然是人家送的，也算是天意如此，趕緊取出來得了。然後把這些下水趁早埋了，一屋子臊味兒！」

徐青山嘿嘿傻笑，也不說話，取過刀來，挑開狗胃，在裡面翻了翻，果然找到一個比乒乓球稍小一些的白球，上面疙疙瘩瘩的，凹凸不平，看起來倒很結實。

東西取出來後，徐青山趕緊把盆端出去，在園子裡深挖了一個大坑，埋好了下水，這才又進了屋。

他把東西捏在手裡，聞了聞，感覺氣味微腥，然後不停地搖搖頭，怎麼也想不到這東西會那麼值錢。

老羊倌找出件純棉線衣，撕下一塊布來，把狗寶包好，這才說話，讓徐青山去趟縣裡，找個大一點的藥店，把這個賣了。

徐青山看了看手上包好的狗寶，撓了撓腦袋，對著老羊倌不好意思地笑了笑：「師傅，這東西能值多少錢啊？咱自己得有個譜吧，總不能人家給多少，咱就要多少吧？萬一再讓人給騙了咋整？」

老羊倌看了看，低頭思忖了一陣，告訴徐青山，這東西值多少錢他心裡也沒譜，不過他倒是有個辦法，讓徐青山牢牢記住幾句話，然後在賣東西時，如果有人能聽得懂這幾句話，他給多少錢，就拿多少錢。如果對方聽不懂這幾句話，就隨機應變，價錢覺得合適就賣，覺得不合適，大不了折身就走，給多少錢也不賣他。

第9章 江湖春點

好在徐青山記性不差，聽老羊倌說了一遍，就記牢了。眼看著天還沒過晌午，他從櫃子裡翻出了一身乾淨衣服，和老羊倌打了個招呼，推著自行車就出了門。

村裡到縣城不足十公里，徐青山騎著自行車，一路猛蹬，一個小時不到，就到了靖宇縣城。沿著靖宇大街，他輕車熟路地來到經常賣藥的那家藥店，把自行車停好後，推門就直接走了進去。

藥店裡除了兩個售貨員並沒有其他人，屋子裡有股消毒水的味道。徐青山剛一進來，還沒等他說話，其中一個燙著捲髮的中年婦女就很熟絡地向他打了個招呼：「喲，小徐啊，從哪兒來啊，咋還滿臉都是汗呢？」

徐青山笑了笑：「劉姐，不忙啊？我來是想問問，你們這裡收不收這種特殊的藥？」

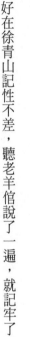

中年婦女知道徐青山經常能弄到些稀奇古怪的東西，就要他拿出來看看。

另一個售貨員是個戴眼鏡的中年男子，一直在看著報紙，見是徐青山過來了，也放下報紙，走了過來，朝著徐青山呵呵一笑：「小徐，有什麼好東西啊？我們也開開眼。」

徐青山不好意思地笑了笑，從包裡把布袋掏了出來，然後把狗寶小心地放在了櫃檯上，指著它對那男的笑了笑：「大哥這不是笑話我呢，你們就是幹這個的，啥沒見過啊，這就是一塊狗寶。」

聽說是狗寶，那中年男子用手扶著眼鏡前後左右的看了半天，一會兒點頭，一會兒搖頭，時不時地看看旁邊的中年婦女。那女的也搖了搖頭，看了一眼徐青山，問道：「小徐啊，你這東西打算賣多少錢啊？」

徐青山想起老羊倌臨行前交代的話，只好硬著頭皮，慢慢地說道：「大瓜無皮，憑人敲打。」說的人，可也不懂這是什麼話。

那中年婦女一愣，看了看那男的，顯然沒有聽懂徐青山說的是什麼。

徐青山察言觀色，見人家根本就聽不明白，就知道不是老羊倌所說的行家，緊接著又笑了笑，問那中年男子：「大哥，你看這東西能值多少錢？」

那男子撇著嘴，搖了搖頭，告訴徐青山：「這東西現在可不好說，天然狗寶市面上是一克幾百塊錢，這東西應該能值個六、七千塊，不過，話說回來了，要是人工養殖的話，那就根本不值什麼錢了。」

人工養殖？

徐青山還是頭一次聽說這狗寶還能人工養殖，心裡畫魂兒，眼神不免有些閃爍。

那男子看出徐青山不太相信，呵呵一笑，告訴徐青山，他也是聽別人說的，據說現在市場上的這東西十有八、九都是人工養殖的，魚目混雜，真假難辨。

聽說只要把女人的長頭髮塞在饅頭或是肉塊裡，然後在傍晚時餵給狗吃，掌握好一定的量，這頭髮進了狗肚子裡，自然是不好消化的，時間一長，狗就會得胃病，慢慢地就開始不愛吃食了，長得越來越瘦，平時總喝水，半年過後，狗就開始脫毛、眼睛變紅，也就是一年左右的時間，肚子裡的狗寶就形成了。

徐青山聽著也覺得新鮮，也聽明白了人家的弦外之音，擺明了是有點懷疑他手裡的東西。至於對方說的是真是假，他也不知道。不過現在的人啥招都有，既然這東西這麼珍貴，千金難得，自然就會有人動歪腦筋，也不足為怪。

徐青山笑了笑，把東西小心地裝進包裡，道了聲謝後，轉身準備出屋。

就在徐青山推門要出去的一剎那，那男的又叫住了他，並對他說，這東西如果想賣，可以到頭道街的「和仁堂」去看看，那兒是縣裡最大的中藥店，裡面肯定有識貨的，只要東西好，不愁賣不出去。

徐青山一腳門裡一腳門外，聽聞此言，趕緊回頭連聲道謝，又打聽了一下藥店的具體位置，一番客氣之後，這才出了門。

頭道街在珠子河南岸，騎到西大街南路，往南一拐，過了河堤公園和靖宇縣中醫院後不遠，徐青山果真找到了這個地方。

三層小樓，中式建築風格，挑簷、門樓，描金彩繪，整棟小樓裝點得古樸典雅。門樓雕龍畫鳳，金點描漆、宏偉壯觀，正中懸著一塊黑底金漆的碩大匾額，上書三個大字：和仁堂。

徐青山推開厚重的大門，正對面是塊一人來高、兩公尺多長的屏風，上面繪製著華佗、李時珍、張仲景和扁鵲的畫像。暗紅老木的原色，精美細緻的雕工，沉靜且含蓄，猶如一曲《高山流水》，意境盎然。

從屏風轉出來後，正對面是「七星斗櫃」，貼牆擺放，四組並排，一共有六公尺多長，占了整整的一面牆，氣勢恢弘。百十個小抽屜上都用兩指寬的紅紙條貼上藥名，紅紙黑字，放眼望去，整齊劃一，井然有序。

「七星斗櫃」是這行業一直以來常見的中藥櫃，這種藥櫃上下左右七排門，不包括底層的三個四格抽屜。因其調劑藥品，方便易取，找藥容易，故又有「抬手取，低頭拿，半步可觀全藥匣」之說。

東西兩側的櫃檯，都是出售中成藥的，櫃檯前圍滿了人。

徐青山左右看了看，趁著抓藥的人少些時，趕緊快步走了上去，對著櫃檯後的小姑娘點頭笑了笑，問道：「你們這裡收藥嗎？我這裡有一塊狗寶。」

小姑娘看了看他，皺了皺眉頭，讓他先等一下，她進去問問。

在徐青山連聲道謝中，小姑娘閃身進了旁邊的屋子。

工夫不大，小姑娘回來了，指了指剛才她進去的屋子，告訴徐青山，何大夫在屋裡，讓他進去再說。

徐青山趕緊道謝，反倒把小姑娘客氣得有些不好意思，臉色緋紅，連聲說不用謝。

象徵性地敲了敲敞開的屋門後，徐青山在門口對著裡面的老先生點了點頭，先打了聲招呼，這才走了進去。

老先生七十多歲，穿著長衫，鬚髮皆白，倒是頗有幾分仙風道骨的樣子，見徐青山進來後，讓他坐在對面，笑了笑，問聲：「小夥子，聽說你有塊狗寶要賣是嗎？」

徐青山點了點頭，趕緊從包裡把東西取出來，放在桌子上。

老先生從旁邊取過老花鏡，戴好後很小心地把狗寶取過來，拿在手上看了看，點頭笑了笑：「確實是塊好東西，品質不錯，不知道小夥子你打算賣多少錢啊？」

徐青山一聽，慢慢地說道：「大瓜無皮，憑人敲打。」

其實這句話是江湖的切口，江湖人彼此聯繫有著特定的隱語，外行人根本就聽不懂。從前江湖人，將一句春點看得比一錠金子還重，輕易不會告訴外人。有句老話說：「寧給一錠金，不給一句『春』。」

這「春」指的就是行內隱語、江湖「春點」了。

江湖有江湖的規矩，這春點是不可以輕傳的，更不能濫授於旁人。萬一叫外行人知道了，能把他們的各行買賣都給毀了，就再也治不了「杵兒」了（江湖藝術把掙不了錢，調侃兒說成，治不了『杵兒』）。

徐青山說的這幾句，連他自己都不知道是什麼意思，但是那老先生卻聽得明白，就是想聽聽買家給的價錢，至於「大瓜」則是表明了「牽羊」的身分。

這句話一出口，那老先生抬眼看了看徐青山，半天沒有言語，仔細打量了他一陣後，點了點頭：「叫點兒不是客，火點兒山上坐，水點兒兩頭分，門子中間過。」

這幾句話大意是說，上趕子不是買賣，有錢的客只要貨好不差錢，沒錢的客根本出不起價錢，他也只是中間加收，只能給個普通價。

徐青山一聽，當時就大吃一驚，這幾句話和老羊倌交代的（對方會回答的話）竟然是一字不差，趕緊站了起來，左手橫展平伸，右手握空拳立在掌上，說道：「天靈地寶，小風輕捎，踩水落單，全聽相家擺道。」

老先生一見，呵呵一笑，起身把門關上，然後交代了一聲門口的店員，又慢步退了回來，指了指椅子，讓徐青山不用客氣，坐下來說話。

徐青山打的手勢也是老羊倌臨行前教他的，連他自己也不知道是什麼意思。其實這種請禮的方法是牽羊人自報家門的暗語手勢。

「天靈地寶」說的是牽羊；而「小風輕捎」是自報家門，姓徐；「踩水落單，全聽相家擺道」則是很客氣的話，大至意思是說各行有各行的規矩，一切按對方的規矩來。

老先生再次坐下後，態度明顯不一樣了，又重新看了看徐青山，感慨道：「真想不到，年紀輕輕，竟然有這等見識。這件東西，既然讓我做主，我就給個價，出價一方。不知道小兄弟是什麼意思？」

這行話中，千說「丈」，百稱「尺」，而萬不能說萬，要說「方」，出價一方，也就是出價一萬塊。

這個也幸好老羊倌提前也說過，所以徐青山倒也還聽得明白。一聽說這東西人家給價一萬塊，徐青山當時就有點蒙了，做夢也沒想到這個肉丸子大小的東西會這麼值錢，自然喜不自勝，趕緊連聲道謝。

老先生見狀，從身旁的櫃子裡取出一隻信封，從裡面抽出一摞子，把餘下的錢連帶信封推給了徐青山，讓他點點。

徐青山雖然說還沒一次性賺過這麼多錢，但是也知道這時候不能太小氣，看也沒看，對著老先生客氣了一下，直接就放進了包裡。

第10章 乾坤湯

老先生看在眼裡，微微地點了點頭，等徐青山收好錢後，這才輕輕地咳了一聲，對他笑著說道：「小兄弟，不知道你趕不趕時間，如果有空，我倒是想和你嘮幾句。」

徐青山一聽，就知道這老先生肯定是有什麼事，一想到東西既然都賣了，錢也拿了，總不能拍拍屁股就走人，回去也沒什麼事，倒不如坐下來聽聽，看看老先生到底要說些什麼。於是他趕緊又坐了下來，往前拉了拉椅子，身子向前挪了挪，很客氣地說道：「老先生，我這人沒見過什麼世面，有什麼話您就直說好了。」

老先生笑了笑，先是自我介紹了一番，自稱姓何，從小就跟著父親行醫治病，流落於江湖，自謀衣食，對於江湖中的事有個一知半解。

江湖中「風」、「馬」、「燕」、「雀」四大門，「金」、「皮」、「彩」、「掛」、「平」、「團」、「調」、「柳」八小門，而他算是「皮」行的，皮行就是那些浪跡江湖，以行醫賣藥為生的人，又稱「走方醫」、「江湖郎中」、「野醫」。這一行常在江湖跑，自然也就知道江湖的行話。

老先生自嘲說，像他這種人，也沒有什麼行醫執照，只是多少還懂得些藥性，識得些草藥，這才被聘到這裡來，負責平時的藥材採購，偶爾也把把脈，也算是有個營生。

徐青山很認真地聽著，一直不搭話。

老先生看了看徐青山，笑了笑：「小兄弟，咱真人不說假話，看你年紀輕輕，卻談吐不凡，實在是讓我有些意外。這年頭，很多行業都土崩瓦解，漸漸消失了，懂得『憋寶牽羊』的人，更是鳳毛麟角，今天有幸相見，實在是不想失之交臂，想和小兄弟多聊幾句。」

徐青山趕緊沖何老先生擺了擺手：「老先生，您誤會了，實不相瞞，剛才那些話都是我師傅教我的，我就是現學現賣，我可不懂什麼牽羊，也不是啥高人！」

何老先生一聽，若有所思地點了點頭：「情理當中，聽口音小兄弟是本地人吧？不知道你師傅今年多大了，如何稱呼呢？」

徐青山雖然沒見過什麼世面，但是人還不傻，聽人家這麼一問，也留了個心眼，半真半假地告訴老先生，他就住在小營子村，叫徐青山。而他師傅六十多歲，姓什麼他也不知道，他是被師傅從小收養的。至於什麼牽不牽羊的，他真的是一竅不通，他拜師學藝，學的是木匠手藝，根本不懂得這些事情，而這狗寶也是家裡的狗生了病，殺狗時偶然發現的。

老先生聽後笑了笑，也沒再多問，自顧自地說道：「其實也沒有別的事，只不過前幾天剛好有人托我找幾味藥材，讓我幫著留意一下，可巧小兄弟雪中送炭，就送來其中一味，還真是造化。聽你談吐，我就知道你和牽羊人有些淵源，所以，這真偽也就無須再辨，就憑『牽羊』這塊金字招牌，絕對不會是『腥貨』，我是一百個放心。」

江湖中把「假藥」叫「腥貨」。

自古以來，江湖郎中手上多「腥貨」，也是害人不淺，造假手段更是五花八門。常見的就是把孵過的雞蛋，用蘇木、紫草、松脂加白蠟熔化後再凝結，製成假琥珀。還有什麼假珍珠、假冰片、假人參、假虎骨、假天麻等，足可以假亂真，外行人根本難辨真偽。

徐青山聽這老先生一說，這才知道，人家只看了一眼，問都不問，就肯花一萬塊買下這狗寶，衝的可是「牽羊」這塊招牌。聽他的話音，好像也是有人需要，托他代購，心中也是好奇，就笑著問道：「老先生，我就是好奇問問，這狗寶能有啥用啊？」

老先生一聽，用手捋了一把鬍子，笑咪咪地告訴徐青山，單說這狗寶，降逆氣、開鬱結、消積、解毒。而眼下要配製的這服藥中，它只是其中一味。這個藥方中的幾味藥材說起來，每一味都是珍稀至極，算得上稀世之寶，都是有價無市。

藥方也有個名堂，叫做「乾坤湯」。

主治惡腫，味辛，能拔一切風火熱毒之邪，使之排出體外。

說白了，可以抑制癌細胞擴散，不敢說可以藥到病除，但是續命十年還是有可能的。方子是個很古老的土方，現在很難查到了，從古至今，從來也沒有人能把這幾味藥湊齊過，所以這方子久而久之，也就沒了什麼實用價值，差不多也就失傳了。

乾坤湯？

聽這名字倒是挺大氣，只不過徐青山對醫理是一竅不通，也聽不明白老先生說的那些藥性醫理。不過這癌症他是知道的，這病要是得上了，那是沒輒了，發現往往已經是晚期了，根本就無藥可治，聽說後期的化療就是往裡扔錢的治法，頂多能延緩一陣子。

這老爺子說的什麼「乾坤湯」如果真的可以抑制癌症，那這藥肯定是價格不菲，徐青山煞有介事地點了點頭，便問那老先生：「老先生，我就是閑著沒事，打聽一下，不知道這藥方中還差幾味藥呢？」

何老先生指了指桌子上的狗寶，說道：「不算這個，還差三味，赤蟾衣、千歲夜明砂，還有一味雪地龍。」

說完後看了一眼一頭霧水的徐青山，笑了笑，又一一地解釋了一番。

他告訴徐青山，這赤蟾衣是一種稱為赤血蟾的癩蛤蟆皮；夜明砂其實就是蝙蝠糞，中醫藥方中倒是經常會用到，但是難就難在，到哪兒才能找到這千歲的蝙蝠？他活了這麼大歲數，也是聞所未聞；雪地龍傳說是一種身體潔白如脂的蚯蚓，常年生活在地下，從不見陽光。這三種藥材都只是在書中有過記載，世間罕有，他從來就沒聽說有人找到過。

徐青山聽完後咧了咧嘴，咽了口唾沫，苦笑了一下：「老先生，照這麼看來，您說的這三味藥根本就是海底撈針不靠譜的事。這藥方我看也就王母娘娘能用得上，別人估計是沒福消受了。」

老先生哈哈一笑：「所以，這古藥方根本就沒有人用過，有再多的錢也是乾瞪眼，單單就這三味藥，就算是出得起錢，也根本就沒處買去。不過，我知道江湖中有一夥高人，專門擅長搜羅些天靈地寶，也只有這些人才有本事尋得到，但是，這些奇人雲中霧裡，根本就難得一見，真想不到今天竟然有幸見到奇人的門下。」

徐青山趕緊站起來連連擺手，讓老先生千萬別這麼說，雖然是他師傅，但是他這徒弟學的可是木匠手藝，推拉刨錛還行，什麼牽羊憋寶的事一概不知，談不上門下。

老先生意味深長地笑了笑：「小兄弟要是方便，可以回去轉告你的師傅，這三味藥如果尋得到，我想只要能說出來的價碼不太離譜，錢應該不是問題。」

徐青山這才恍然大悟，弄了半天，這老頭東繞西繞，就是想讓他回去問問他師傅，有沒有興趣幫著找這三味藥。

聽老頭的意思，好像根本就不在乎錢。想想也是這麼回事，能用得起這藥方的人非富即貴，普通的老百姓根本連想都不用想。可是不管咋的也得先透個底，心裡也好有個數，總不能傻小子看戲，白樂和一場。

想到這兒，徐青山連連點頭，答應老先生回去後一定轉告到，讓他放心。然後話鋒一轉，試探性地問了一句：「這買家肯定也知道這幾種東西的珍稀之處吧？」

老先生正襟危坐，自然聽得出徐青山的弦外之音，呵呵一笑，指了指桌子上的狗寶說：「這三味藥每一味都抵得上這塊狗寶百倍，這個買家自然是知曉的，我之前也早就說過，你大可放心。」

徐青山的腦袋頓時就嗡了一下，每一味可抵百倍，那豈不是說，每一味都值上了一百萬了啊？

三味藥，三百萬！

三百萬有多少，他腦袋裡可沒有什麼概念，不過蓋一處三間大瓦房也就是五、六萬，那這些錢足可以蓋六十處大瓦房，那是什麼概念，相當於兩個村子？

想到這兒，徐青山的胸口怦怦地狂跳個不停，真要是有這麼多錢，蓋上大房子，那二丫還不得主動貼上來？一想到二丫那扭著屁股走路的樣子，徐青山不知不覺中就有些晃神。

好半天後，他才如夢方醒，趕緊晃了晃腦袋，咽了口唾沫，有些歉意地看了看何老先生，連連點頭，告訴老先生，這件事還得他回去問問師傅的意思，他做不了主，至於結果如何，他也不知道。

老先生笑了笑：「小兄弟，回去好好和你師傅說說看，畢竟這也是件善事，救人一命，功德無量。這三件東西在常人眼中如摘星奪月，根本就是空想徒勞，但是如果是像你師傅這樣的奇人出手，應該也不會太難，說是探囊取物可能有些誇大其詞，但是絕對有望可得。」

說完話，老先生從桌子的抽屜裡取出一張名片，遞給了徐青山，告訴他，如果他師傅肯出手相助，到時候一切事情都可以再詳談。老先生說自己也是醫者父母心，中間拉個線，具體這事如何操作，到時候見了面，當面鑼，對面鼓，無論是人力還是物力，都再商量，以他對這買家的了解來看，只要能說出來的問題，應該都不算是問題。

徐青山雙手接過了名片，掃了一眼，發現上面的頭銜挺長，除了專家就是顧問，不過名字倒是挺亮堂，叫何九江，聽著大氣磅礴。

何老先生意味深長地笑了笑，告訴徐青山，相識就是緣分，買賣不成仁義在，就算是這事不行，如果以後有別的事，他能幫得上忙的，隨時可以找他。

徐青山趕緊連聲道謝，一番客氣之後，這才出了藥店。

何老先生看著徐青山的背影淡淡地笑了笑，隨後輕輕地搖了搖頭，把桌子上的狗寶收好後，拿過手機，撥了個電話。

第11章 圈羊

老羊倌在屋裡躺了一會兒，就覺得屋子裡的臊腥味直撞胃，索性直接把椅子挪到院子裡，放在樹根下，往上一栽歪，手裡捧著收音機，閉著眼睛聽著評書，優閒自得。

單田芳那沙啞的聲音，在整個小院裡迴響了起來。

聽到大門有動靜，老羊倌這才睜開眼睛，見徐青山滿臉通紅地推著自行車進了院子，看那表情就知道結果差不了，他向徐青山招了招手。

徐青山一臉興奮地跑過來，一邊跑，一邊用手拍了拍包，朝著老羊倌咧著大嘴笑：「師傅，咱爺倆發財了！賣了一萬塊！」

老羊倌聽完樂得鬍子都撅起老高，畢竟這輩子也沒發過大財，手裡的存款還沒有超過一萬塊的時候，這些錢也算是一筆不小的橫財了。

老羊倌眉開眼笑，朝著他一挑眉梢：「小山子，到鎮上買點兒熟食，弄兩瓶好酒，咱爺倆晚上好好喝點兒！」

徐青山點頭痛快地應承下來，抽了一張百元大鈔後，他把餘下的錢塞給了老羊倌，推著那輛破自行車，興奮地一溜小跑。

出了大門，徐青山一屁股就坐到了自行車上，就像和腳蹬子有仇似的，晃著膀子使勁蹬，這輛破自行車也到了風燭殘年的歲數，在他不斷晃動的屁股下發出一陣陣痛苦的呻吟。

老羊倌把錢放在手上來回掰了掰，長歎了一口氣。

這筆小財真是自己送上門來的，根本就沒費吹灰之力。他心裡盤算了一陣，加上前段日子攢下的錢，加一起也差不多快兩萬塊了，再攢一些，湊個三萬塊左右就給徐青山張羅親事，把彩禮先過去。這彩禮一過，就相當於付了定金了，心裡也就踏實了，小山子老大不小，也該成家立業了。

晚上，這爺倆炕桌一放，盤腿打坐，推杯換盞，喝了起來。

人逢喜事精神爽，兩人破天荒地喝了一瓶白酒，老羊倌雖說沒怎麼醉，但是也喝得面紅耳赤，眼睛通紅。徐青山畢竟年輕力壯，還是能喝一些，可除了逢年過節，爺倆還沒這麼奢侈過，一桌子都是好吃的。

吃完之後，他忽然想起那何老先生說的事情來，趕緊從包裡把名片掏了出來，晃晃悠悠地遞給了老羊倌，這才說起白天的事兒來。

老羊倌醉眼迷離，瞇縫著眼睛，接過名片看了看，好半天才看清楚上面的字，嘴裡叨咕了一遍，也沒當回事。突然迷迷糊糊中聽到徐青山提到了赤蟾衣，這酒一下子就醒了一半，趕緊晃了晃腦袋問道：「小山子，你剛才說啥？是不是說赤蟾衣？」

徐青山以為老羊倌喝多了，耳朵不好使了呢，苦笑了一聲，聲音提高，又把白天何老先生說的事情從頭到尾說了一遍。說完後，又擔心老羊倌聽不見，大著嗓門問老羊倌：「師傅，這赤蟾衣、千歲夜明砂，還有那雪地龍到底好不好找？那老頭可說了，這東西要是能找到，每樣能值一百萬啊！」

老羊倌被震得耳朵直疼，趕緊晃了晃腦袋，讓徐青山小點動靜，本來耳朵不聾，這一震，反而有點聽不清了，他用手搓了把臉，突然反應了過來，結結巴巴地道：「啥？一……一……一百萬？」

徐青山肯定地點了點頭。

老羊倌又看了一眼名片，然後慢慢地放下了，從衣兜裡掏出皺皺巴巴的煙盒，點著了一根煙，抽了兩口，微微地搖了搖頭。伸出自己的左手，告訴徐青山，赤蟾衣就是赤血寶蟾的癩蛤蟆皮，他這隻手上少的那根手指頭就是因為牠，當年他和他師傅就是栽在了這赤血寶蟾上，師傅死了，他也成了殘廢。

說到這裡，老羊倌苦笑了一陣，告訴徐青山，那赤血寶蟾的蛤蟆皮就是赤蟾衣，也是這三味藥中最難弄到的。千歲夜明砂還有雪地龍雖然也是天地罕見，但是相比這赤血寶蟾來說也是差上一截，充其量算是個「下靈」，只要找到合適的引子，牽到手倒也不是什麼難事。

看著老羊倌左手的四根手指，徐青山也愣了，他一直以為師傅的手指是因為幹木匠活或是別的意外才弄斷的，實在是沒有想到竟然是因為「牽羊」，而且還就是為了那「赤血蟾衣」。他生性善良，可不希望師傅再有什麼閃失。

於是，徐青山把名片從桌子上撿起來，看了一眼就要撕掉。

老羊倌手疾眼快，一把就把徐青山給攔住了，瞪著大眼問他：「你這是幹啥？幹啥撕名片啊？跟它有仇？」

徐青山看了看老羊倌：「師傅，這買賣太危險了，咱爺倆犯不上為這個拼命，小打小鬧也就算了，賠上命的買賣，給多少錢也不能幹，命都沒了，要錢還有啥用啊？」

老羊倌吐出了一口煙說：「小山子，你也這麼大了，別看我平時不說，但是心裡不糊塗，師傅得給你娶上個媳婦，不能就這麼耽誤下去。要說當年，多少也是有些大意，要不然也不能落得這麼個下場。我都是土埋大半截的人了，還有啥怕的，這事我看可以琢磨琢磨，我估摸著只要小心謹慎一些，就算是牽不到羊，也不會把命搭上。」

徐青山一聽趕緊搖頭，讓老羊倌不用為他操心。

爺倆為這事爭論到了半夜，最後老羊倌妥協了，他擺了擺手：「得！你小子的心思我也知道，我老頭子這麼多年了，表面上顛三倒四，心裡啥都明白，你這徒弟我也沒白教。你以後到底啥樣自有命數，我也不管了，要飯花子唱小曲，我自己窮樂和。」

一晃一週快要過去了，慢慢地這件事也就被爺倆扔在腦後，忘得差不多了。

徐青山依舊是有活就到縣裡上班，沒活就在家裡閑待著。這個時候正是淡季，活也不多，一週根本去不上幾天。老羊倌仍像平時一樣，在家除了聽評書，就是睡覺，日子又恢復了正常。

徐青山平時心思就細，他好幾次都發現老羊倌的褲腿子上全是泥點子，有時還會粘上些蒿子刺，顯然不是在家裡弄上的。他有些疑惑，擔心老羊倌有什麼事在瞞著自己，再想到前陣子半夜上山的事，心裡更是不踏實了。

一天早上，徐青山假稱廠子有事，要去縣裡上班，騎著自行車就出了村子。上了鄉道後，騎出去沒多遠，他就調轉了車頭，把車子藏起來後，自己又摸回了村裡，躲在柴禾垛後，瞄著自家院裡。

果然，沒過一會兒，就看見老羊倌出來了，左右看了看後，反手鎖上門，手上抓著一個編織袋子，直奔村後的大山走去。

徐青山知道老爺子耳朵尖，鼻子也靈，所以也不敢太靠近，只好遠遠地盯著。老羊倌上了山後，就見身形一晃，身子微微前傾，健步如飛，速度越來越快，與平時走路真是判若兩人。

徐青山趕緊壓低身子，低頭往山上猛跑，就是這樣，他剛爬過了半山腰，老羊倌又被自己給跟丟了。

徐青山心裡暗罵自己沒用，左右看了看，猛然間想起老羊倌上次說過的那個山凹，當時聽老羊倌說過那裡有一股青灰之氣沖天彌地，好像是有寶，難不成這老爺子這些天來一直在和這玩意兒較勁？

他抬眼看了看那處山凹，大白天的看得很清楚，那邊果然有兩棵榛子樹。徐青山看罷從旁邊慢慢地繞了過去。

山凹裡久無人來，茅草遍地，那草長得有一人多高。

徐青山用手分開茅草，在草叢中穿行，一點一點地往那兩棵榛子樹前繞了過去。
山凹裡異常悶熱，好像還有股子腥臊味，像是什麼東西在這裡撒了尿似的，空氣十分渾濁。徐青山走了沒幾步，腦袋被熏得有些疼，他一皺眉頭，忍不住用手捂住了鼻子。
眼看就要走到地方了，突然，從旁邊伸出一隻大手，一把就把徐青山給拉進了草叢中。
徐青山根本沒有防備，突然遇襲，嚇了一大跳，張嘴還沒等喊出聲呢，一隻黑漆漆的大手就把他的嘴給捂住了。這隻手的手勁奇大，他根本就掙脫不開，之後一股特殊的騷臭味擠入了鼻孔，熏得徐青山鼻涕一把，淚一把，胃裡一翻個兒，噁心得差點吐了出來，他趕緊閉氣，不敢喘氣了。
後面的人見他消停了，這才慢慢地把手鬆開了。
徐青山回頭一看，鼻子差點氣歪了，把他拉過來的正是老羊倌。再看老羊倌那隻黑漆漆的大手，也不知道摸了什麼，比鴨屎還臭。
徐青山皺著眉頭，見四下也沒有什麼東西，不知道為什麼老羊倌神祕兮兮的，剛要張口說話，老羊倌對他輕輕地噓了一聲，指了指自己的背後。
徐青山一頭霧水，看了看老羊倌，往前跨上一步，小心地扒開草叢看了看。
這一看，頓時目瞪口呆，就見距他四、五公尺遠的地方，有隻大黑狗正不停地在原地轉來轉去，一身黑毛油光可鑒，拖著一條雪白的尾巴，紅嘴巴，紅眼珠，正在不安地原地打轉，看起來好像有點焦慮不安。

這大黑狗不就是那災獸狍即嗎？徐青山一縮脖子，趕緊退了回來。

老羊倌嘿嘿一笑，這才告訴徐青山，這塊山凹，他早就知道來了「野羊」，但不知道到底是什麼東西。那天晚上看到災獸狍即，心裡就明白了原委，忙活了好幾天，總算是把這隻「羊」給「圈」住了。

第12章

不速之客

徐青山剛要說話，提鼻子一聞，指了指老羊倌的手，五官都擰在一起了，低聲問老羊倌他那手上沾的是什麼東西，怎麼那麼臭。

老羊倌低頭看了看自己的手，自己也直皺鼻子，回頭看了一眼，拉著徐青山退了十幾公尺，一直走到那兩棵棒子樹底下，這才告訴徐青山，這些天來，他可是費了牛勁了，總算是把那隻災獸給圈住了，一晃已經三天了，如果估計得不錯，頂多再有兩天，這隻「黑羊」就能牽到手了。

看著徐青山躲得老遠的，老羊倌瞅了瞅自己髒兮兮的手，呵呵一笑，翻了翻手掌，他告訴徐青山說，這不是別的，是老虎糞的味道。

老虎糞？

徐青山一皺眉，看了看老羊倌，問道：「師傅，咱這山上啥時又有老虎了？不是說五十年前就絕跡了嗎？」

老羊倌撇了撇嘴：「這麼大的山，啥玩意兒沒有？找不著不等於沒有，老虎找不著，找點兒老虎糞還費勁了？」

徐青山下意識地用手擦了擦嘴，總感覺那股子騷臭味還在嘴邊掛著，有點兒噁心乾嘔。

老羊倌呵呵一笑，告訴徐青山，這天下的東西，有陰就有陽，有圓就有缺，鹵水點豆腐，一物降一物！別看那狍即牛烘烘的，但是一聞到這老虎糞的味兒，動都不敢動，全身就癱了。

說到這兒，老羊倌往前面又看了一眼，從嘴角擠出一絲冷笑。

徐青山這才知道，這災獸狍即原來是讓這老羊倌用老虎糞給圈住了，都已經餓三天了。按老羊倌的說法，從明天開始，只餵牠肥皂水，不給食物吃，這東西渴急眼了，有水就喝，只要牠喝了肥皂水，用不了幾天，也就沒脾氣了。

雖然這狍即是隻災獸，但好歹也是條命，徐青山總覺得有些於心不忍，感覺這事有點太殘忍了，甚至說有點慘無人道。

徐青山指了指對面，問老羊倌：「這東西已經圈住了，還用得著天天來嗎？」

老羊倌掏出一根煙，點著後抽了一口，這才不緊不慢地告訴徐青山，雖然現在圈住了，但是也不能大意，這山上啥東西都有，就算是沒有人來。萬一出來條蛇啥的把牠咬死了，咱這就功虧一簣了，要的是那身毛皮，壞了一個洞，也就一文不值了。

徐青山似懂非懂地點了點頭，也不多言語了，這上面的道道，他一時之間也聽不明白，眼瞅著快晌午了，就問老羊倌中午回不回去吃飯。

老羊倌看了看天，慢慢地站起身來，伸了個懶腰，自己悄悄地又走過去看了看，見一切並沒有什麼異常，就朝著徐青山擺了擺手，示意下山。

他們還沒到家門口，遠遠地就看到自家門口前停著一輛小轎車。

老羊倌停下腳步看了看，若有所思，側頭瞅了一眼徐青山，邊走邊說：「小山子，好像是有人來了，一會兒別亂說話。」

徐青山點了點頭，看了看那輛車，也是一頭霧水。

這麼多年了，還是頭一次有轎車停到自家門口，難不成是停錯地方了？還是找錯人了？他在廠子裡就是個普通的工人，根本不認識這種能開得上轎車的人。老羊倌就更別提了，一年到頭也不進一趟城，也不可能是找他的，他思前想後，也沒想出來個子丑寅卯。

正琢磨著，車門開了，從車裡面下來了四個人，為首的是個五十多歲的中年人，大腹便便，穿著件淡粉色的T恤，遠遠地看到老羊倌爺倆，快步就迎了上來，率先打起了招呼。

徐青山看了看老羊倌，老羊倌瞅了瞅徐青山，兩人一晃腦袋，都不認識。

老羊倌快走兩步，對著這胖子一抱拳：「同志，你認錯人了吧？我們可不認識你啊！」

胖子笑容可掬地笑了笑：「沒有，沒有，不會錯的。老人家，您旁邊的就是徐青山小兄弟吧？您就是他師傅吧？」

老羊倌看了看徐青山，又看了一眼胖子，點了點頭，皺了皺眉頭問了一句：「同志，請問你是哪位？」

那胖子一愣，顯然對這個稱呼有點陌生，隨即呵呵一笑，先自我介紹起來。他叫何宏天，是一家醫藥公司的副總，縣裡和仁堂的那位老中醫何九江是他的父親，他聽父親說起過徐青山的事情，這才冒昧前來打擾。

老羊倌一聽，也就明白了他的來意，笑了笑，抬眼看了看他身後的那三個人。

胖子趕緊回頭招了招手，那三個人見胖子招手，這才先後走了過來。

走在最前面的是個年輕漂亮的姑娘，身材苗條，眉目如畫，杏臉桃腮，走起路來英姿颯爽的。跟在她身後的是個身材魁梧的漢子，大概有三十歲，一臉的絡腮鬍子，濃眉大眼，看著孔武有力。他旁邊的是個身體消瘦的小夥子，個子不高，年齡和徐青山相仿，頭髮蓬亂遮住了眼睛，他一直低著頭，也沒看清長什麼樣子。

胖子先是指了指其中的那個姑娘，介紹說，這是他的外甥女，叫白素；然後又指了指左邊身形高大，虎背熊腰的那個漢子說，他叫宋長江，平時都喊他「江子」；最後看了看那個身形消瘦，面色蒼白，像是大病初愈的小夥子說，他叫周伍。

胖子逐個介紹了一下之後，就對著老羊倌和徐青山一抱拳：「我聽我家老爺子說過，你們師徒二人都是當世的奇人，實在是不想失之交臂，這才冒昧前來拜訪，唐突打擾之處，還請多多見諒！」

老羊倌知道這些人肯定是有備而來，見在外面說話也不方便，就打開了柴門，把這一行人都請進了屋裡。

徐青山一邊走，一邊暗中打量著這幾個人。他對這胖子沒什麼好感，這人油頭粉面、虛頭八腦的，看著就讓人不痛快，說起話來雖然表面上挺客氣，但骨子裡那股趾高氣揚的勁兒根本就壓不住，一看平時就是七個不服，八個不忿的主兒。

看那姑娘倒還挺順眼，清麗可人，長得和二丫一樣耐看，不過比二丫可要白淨多了。那張小臉白裡透紅，嫩得好像都能滴出水來。運動鞋，牛仔褲，緊身的小背心，把身體曲線襯托得玲瓏剔透，看得徐青山一陣心情蕩漾，滿臉通紅。

宋長江五大三粗，渾身黝黑發亮，走起路來啪啪直響。上身只穿著個背心，露出一身赤銅色的肌肉。單單看這塊頭，就知道是個硬角色。眼角眉梢帶著千重銳氣，身前背後有著百步的威風。

最讓徐青山好奇的就是那個叫周伍的年輕人，個頭與自己不相上下，但實在是太瘦了，上秤一稱估計不到六十公斤，細胳膊細腿子細手指，倒像個大姑娘似的。這麼熱的天，套了件黑色的長袖帽衫，把自己捂得嚴嚴實實的，頭髮蓋住了眼睛，臉上始終是冷冰冰的，沒有什麼表情。看起來暮氣沉沉，像是大病初愈，始終悶聲不響地走在後面。

老羊倌的家中一向很少有客人來，屋子本來就不大，這夥人一進來之後，屋裡一下子就被擠得滿滿的了。

老羊倌看了看，朝那胖子不好意思地笑了笑：「還是叫你何總吧，你看我這家裡窮得直掉渣，連個坐的地兒都沒有，實在有些對不住啊！」

那胖子倒是滿不在乎，一屁股就坐在了炕沿上，壓得這三寸來厚的實木炕沿發出一聲痛苦的呻吟。其他三個人看了看，也歪身子坐在了炕上。

胖子坐穩了之後，從兜裡掏出煙來，遞給了老羊倌一支，然後又親自給老羊倌點上火，這才開口說了一番。

他說，他們公司做的是中藥材的貿易，說白了就是先到藥源地進貨，然後經過加工，再出口到韓國、日本、美國以及東南亞國家，是一家很有實力的貿易公司。

公司本來是不接散單的，但是這次事出有因，關鍵是需要這幾味藥材的人身分特殊，他們自然也就很重視這件事情，還特意成立了一個工作小組，由他牽頭，專門負責這幾味藥材的搜尋。差不多把全國各地的中草藥市場都跑遍了，仍然是一無所獲。

第13章 入夥

老羊倌看著胖子侃侃而談，自己也不搭話，就讓他自己往下說。

胖子說得口乾舌燥，咽了幾口唾沫，抬頭看了看老羊倌：「前幾天，我回家時，聽我家老爺子說起了青山老弟的事情，知道您老人家乃是當世的奇人，所以這才冒昧前來，想請老人家施以援手幫我們一把，至於別的事情都好談。」

徐青山一聽，看了老羊倌一眼，就盯著何胖子不陰不陽地笑了笑：「何總，你是說讓我們幫著找藥啊？要說這事兒，我回來後就和我師傅提了，你也知道那幾樣東西，我們實在是無能為力啊！」

胖子一聽，笑了笑，回頭朝宋長江使了個眼色，宋長江趕緊把手上的皮包遞了過來。

胖子接過皮包後，笑著從裡面掏出了一摞百元大鈔，放在了炕上。

徐青山和老羊倌一見，眼睛就有點發直，心裡不免有些激動。

胖子沉吟不語，接著從皮包裡一摞接一摞地往外掏錢。

老羊倌瞪眼看著一摞一摞的百元大鈔從皮包裡像變戲法似的掏出來，每掏出一摞，身子就不由得跟著抖一下，眼睛都看直了。活了這麼大歲數，還是頭一次看到這麼多的錢。

最後，胖子伸手把這些錢推到了老羊倌面前：「老人家，無論最後能不能找到，這事也不能讓你們白折騰。這些錢是定金，就算是找不到，事後還會給你們同樣數字的尾款。如果萬一運氣好找到的話，我們會另付十倍的費用作為酬勞，我們只是想拜託你們幫這個忙，辛苦跟著走一趟。」

錢這東西，誰也抵抗不住它的誘惑力，一張兩張並不起眼，真要是成摞成摞像小山似的堆在面前，要是還不動心，那你肯定跟這錢有仇。

炕上足足碼放了十五摞，那就是十五萬塊錢。

老羊倌舔了舔嘴唇，瞇著眼睛看了看胖子，沉吟了一聲：「這個……要說找那幾味藥材，不是說我們故意不幫忙，見死不救，也確實是難如登天。老頭子我可不敢說什麼大話，剛才你說的我也沒聽明白，你別嫌我老頭子多事，我就想問一下，我們爺倆要是入夥，都幹些啥呢？咱們有話說在明處，我們也好衡量一下自己的斤兩，別到最後事辦不了，我們也不好交代。」

胖子一聽，連連擺手，見老羊倌終於鬆了點口，心中不由大喜。身子往前微微一探，唾沫橫飛地告訴老羊倌，沒啥特殊的要求，只要盡力而為就行，至於找到或是找不到，那就聽天由命了。盡人事，聽天命，這道理大家都懂，那三味藥材的珍稀程度他們也是心知肚明，也不會強人所難。所以這件事就是個君子協定，只要盡力了也就行了。

老羊倌一邊聽著，心裡一邊盤算，胖子說的這些話合情入理，心裡多少也有了點底，瞥了一眼胖子身後的那三個人，抬眼問胖子：「我說何總，照你這麼說，我還真有點過意不去了。老頭子啥事都願意較個真兒，難道就沒有什麼別的啥要求了？」說完話，故意瞥了一眼胖子的身後。

胖子嘿嘿一笑，看了看徐青山，又看了看老羊倌，然後用手指了指他身後的三個人說：「這件事也算是事關重大，不僅僅在物力和財力上，人力上我們也會大力支持。我們這邊出三個人，全力配合你們的行動，有道是人多力量大，真是有些為難招災之處，互相也好有個照應。」

老羊倌心說，你個小猴崽子，還在我面前耍花槍，明擺著是怕我們收了錢，不幹活。名義上說是派了三個人協助，說白了這就是監視我們的。

他撇嘴笑了笑：「何總，這趟買賣可不是遊山玩水，難免要東奔西走，爬山越嶺的，到時候累著這些孩子，恐怕也不好說吧。」

胖子哈哈一笑，回頭用手指了指白素：「白素這丫頭科班出身，見多識廣，天上飛的，地上跑的，水裡游的，多少也都有些見識，應該能幫得上你們。別看她是個姑娘，但是身手也不賴，自保沒有問題，不會拖你們的後腿。」

徐青山一聽，嘴都快撇到後腦勺去了，瞥了一眼白素，心想，一個大姑娘，那小粉臉蛋兒嫩得都能捏出水來，不用說別的，跑出去不到三百公尺就得累趴下，還爬山越嶺，還自保？糊弄鬼吧！

白素看了一眼徐青山，知道他的心思，起身從炕上慢慢地站了起來，朝徐青山挑釁似的招了招手，那意思是讓他不服氣的話，就過來試試。

徐青山見老羊倌並沒有什麼反應，很明顯也想試試真假。自己心裡一琢磨，再怎麼說我也是個大男人，雖說沒練過，不過推了好幾年的鉋子，收拾一個姑娘應該不在話下。

徐青山上下打量了一眼白素，很有俠者風範地說了聲，「得罪了！」然後右胳膊從左向右橫掄，伸出巴掌朝著白素就掃了過去，心裡想，也別講什麼套不套路的，就這麼一扒拉，就得把你扒拉個跟頭。

眼看徐青山的胳膊就要碰到白素的時候，就見她伸出右手，輕輕地架住他的胳膊，順勢往下一壓，就卸下了他的一掄之力，接著手腕一轉，反手就抓住了他的手腕子，左手一拍他的胳膊肘，右手往上一抬，直接把胳膊給擰到背後去了，疼得徐青山齜牙咧嘴。

白素冷冷一笑，這才鬆開了他，拍了拍手，看了看徐青山。

徐青山滿臉通紅，用手揉了揉手腕，心裡倒吸了一口冷氣，還真沒想到，看似文文弱弱的一個大姑娘，竟然是會兩下子。自己空有一身蠻力也是白搭，平時打架的野路子連一個照面都沒過去，實在是有點兒丟人現眼。

胖子看在眼中，並沒有多說，又指著宋長江說：「江子是從部隊下來的，身體素質是沒得說，野外作戰也是個大行家。」

宋長江看了看徐青山，就要站起來。

徐青山一見，趕緊對著宋長江笑了笑：「大俠，不用了！咱都是爽快人，有啥說啥，在你面前，我甘拜下風。」

白素在旁邊聽完後，抿嘴笑了笑，臊得徐青山的臉上是青一塊，白一塊，但也沒辦法，看宋長江那塊頭，自己根本和人家就不是一個級別的。就他那大巴掌，真要是被掄一下，估計自己連北都得找不著了，何必自討苦吃呢。

胖子最後看了看周伍，微微沉吟一下，沒有說話。

周伍自始至終一直都像是在打盹，睡不醒的樣子，好像對什麼事也都漠不關心，這時候突然睜開眼睛，掃了徐青山和老羊倌一眼，隨後眼神下垂，又不言語了。

被他掃這一眼，徐青山感覺就像是被狼盯上一樣，全身都不舒服，心裡有些發毛，真沒想到這病鬼的眼神竟然這麼犀利，看了看周伍，徐青山咽了口唾沫，沒敢吱聲。

胖子隨後訕訕一笑，告訴老羊倌他們，周伍是上頭那邊派過來的，也是為了這幾味藥材，對他的具體情況，自己也不是很了解。不過，雖然大家都來自不同的地方，但都是為了一個目的，以後大家還得同心協力互幫互助，說完後看了看周伍。

周伍像是沒聽見胖子說話一樣，根本就沒有任何反應，繼續閉目打盹，一聲不吭。胖子見狀搖了搖頭，也是沒再說什麼，這是上頭派來的人，他也不敢得罪。

老羊倌點了頭，用手拍了拍眼前的這堆錢道：「錢是個好東西，但是命比錢還重要。有句老話說得好：『鳥無頭不飛，龍無首不行，家有千口，主事一人。』咱們這麼多人，再加上我們爺倆，總得有個挑頭壓事的，要不然一盤散沙，爛泥也扶不上牆啊！」

胖子回頭看了看白素和宋長江，又看了看老羊倌，連聲說道：「這個還得請老人家多多指教，日後您可得費心了。行動上就都聽您的吩咐，白素負責平時的事務管理，只是周伍……」說到這兒，他故意停頓下來，看了看周伍。

周伍抬頭看了一眼老羊倌，微微地點了點頭，算是答應了。

徐青山在旁邊看著有些來氣，心裡有些納悶，不知道這人到底是什麼來頭，病懨懨的，老像是睡不醒似的。看他那體格，一陣風都能把他刮倒了。真要是爬山過嶺，看他那樣子，累得吐血算是輕的，搞不好有命上去，沒命下來。

老羊倌聽胖子這麼說，微微地點了點頭，瞥了一眼徐青山，轉回頭來對胖子說：「這事要我看也不急這一天兩天，我們爺倆也得準備準備。要不——一週以後，咱們再碰頭，你看怎麼樣？」

胖子一聽老羊倌這麼說，意思就是答應了，樂得嘴都合不上了，趕緊連連點頭，說一星期後他就不過來了，讓白素、江子還有周伍等三人直接來這兒集合，具體的安排讓老羊倌他們自己再商量。

事情到了這裡，談得也就差不多了，胖子見目的已經達到，自然興奮不已，連聲道謝，一行人也起身告辭了。

老羊倌和徐青山把他們送出屋外，直到小轎車駛出了村子，這才趕緊回到了屋裡。

看著炕上一摞摞的百元大鈔，老羊倌樂得一個勁兒用手搬來搬去。徐青山樂得差點兒就趴在炕上直打滾，瞅著這堆錢，直喘粗氣，手指節都攥得「嘎巴、嘎巴」直響。

整整十五萬元，事成之後，就算是找不到，還有十五萬元入帳，這加在一起就是三十萬元。這些錢足夠蓋房子、娶媳婦的了，爺倆坐在炕上一個勁兒地傻笑，連中午飯都忘了吃。

徐青山樂得差不多了，這才問老羊倌：「師傅，你真打算帶他們去找藥啊？你不是說那三樣東西很難找嗎？咋又答應他們了呢？」

老羊倌抽著煙，噗哧一笑：「小山子，你這心眼兒也太實在了，行動指揮都聽咱的，到時候咱爺倆領著他們找幾個山頭瞎轉悠，四處走走逛逛，最後就說找不到，不就完事了嘛！你以為我老糊塗了，為了錢命都不要了？」

徐青山瞪眼看了看老羊倌：「師傅，你這招也太損點了吧？這不是糊弄人嗎？人家那可是治病用的啊！」

老羊倌一聽，呸了一聲：「治病？哼，啥病？那癌症還有治啊？得了這病，發現就是晚期，活不過一年半載，到時候人都死了，咱們這活不就完事了嗎？」

徐青山一聽恍然大悟，嘴都合不上了，也顧不上吃飯，拎著包，騎著自行車就直奔縣城裡去了。

第14章 山貓

第二天傍晚，吃過晚飯，老羊倌聽完天氣預報後，關了電視，上下拾掇了一下，拎包就直奔村後的大山。

徐青山正在院裡收拾著自行車，見老羊倌直奔山上，猛然間想起那隻災獸狏即，心裡一陣好奇，趕緊放下手裡的東西，關上門，隨手抓了一把草葉子擦了擦手，就直奔山上。

這時，太陽剛剛落山，大山裡一片迷濛。雲層如濃墨一般鋪天蓋地地壓在頭頂，密不透風。山路蜿蜒，盤旋而上。偶爾一隻鳥回巢飛過，叫聲直抵雲端，回音繞著層巒疊嶂顫動，久久不絕。

老羊倌聽到後面有動靜，回頭看了看，見是徐青山，也沒再說別的，等他追上來後，爺倆一前一後往山上走去。上山的速度說快不快，說慢不慢，這樣的速度反而更累人，走了沒有多大一會兒，徐青山就累得出了一身的汗。

老羊倌看著徐青山，搖了搖頭，告訴徐青山，這上山或是下山得講究方法，就他那個走法，也就是仗著年輕力壯有股子猛勁，用不了多久就得累趴下。上山時，要把身體放鬆並且往前傾，下巴超過鞋尖三寸，膝蓋自然彎曲和下巴差不多在一條線上，然後前腳掌著地，腿向後蹬，不能走直線，斜著走，這樣上山才省勁。

徐青山咧著大嘴笑了笑，然後學著老羊倌的樣子，探著身子，腳尖著地往後蹬，果然感覺輕鬆不少，走了一段後，忍不住地誇讚老羊倌說的這招還真管用。爺倆一邊走一邊閒聊，不知不覺到了半山腰。

老羊倌輕車熟路，分開荒草，三拐兩繞，帶著徐青山就穿進了山凹裡。

走著走著，老羊倌突然就站住不動了，提鼻子聞了聞，臉色驟變，回頭朝著徐青山打了個手勢，示意他先站住別動，自己站在原地側耳聽了聽之後，一個人小心地走了過去。

天雖然還沒有大黑，但這裡剛好是在山體的陰影中，山凹裡的一切都只能見其形，而無法辨其色。

徐青山抬頭看了看，離著還有二十幾公尺就應該是那隻災獸被困的地點了，不知道為什麼老羊倌突然如此緊張。四下望了幾眼，總感覺眼前好像有一層塑膠布似的，看什麼東西都有點霧濛濛的，影影綽綽看不太清楚，他眼睛一眨不眨地盯著老羊倌。

山凹裡時常會刮起旋風，而此時卻異常平靜，只是空氣中好像夾雜著一股子尿騷味。

老羊倌心裡奇怪，嘴上並沒有多說。慢慢地接近草叢後，分開荒草往前看了看，見那隻災獸狍即仍然老老實實地趴在地上，眼神渙散，看樣子已經有些堅持不住了，比預想中要順利得多，他這才鬆了一口氣。

不過，老羊倌卻始終感覺有點不太對勁，心裡一陣陣地發慌，空氣中的這股子尿騷味直打鼻子，不像是那隻災獸的氣味。他忍不住皺了皺鼻子，心裡不停地打鼓，難不成這裡還有別的東西？

老羊倌不敢大意，趕緊謹慎地四下看了看，突然眼角的餘光，好像看到有雙眼睛正在對面的草叢中盯著他，嚇得老羊倌一激靈，立刻就出了一身的冷汗。等他回頭仔細再看時，那雙眼睛卻不見了。

盯著那片雜草，回憶剛才的那種感覺，如芒刺背，直到現在身上還有些不舒服。老羊倌的心裡有些發毛，不敢大意，隨手就把綁在小腿上的「管插」給拔了出來，運足目力，緊張地觀察著四周。

「管插」是一種打磨的利器，說白了就是把大拇指粗細的鋼管斜碴削掉，就跟農村秋收後的「茬子」一樣，十分鋒利。因為是空心的鋼管，只要扎到身上，順著鋼管就會血流如注，工夫不大，就能把全身的血給放光了。

這種東西，其實就是放大了的醫用注射針頭，製作不難，但是兇狠歹毒！要是扎到身上，創口極難縫合，殺傷力極強。在五、六十年前，很多地痞流氓、街頭混混都用過這種東西。而老羊倌手上的這把管插，做工極為精細，尖頭鋒利，管身直徑約有一寸，通體打磨得精細光滑。還特意在管身橫著焊了一根兩寸來長的鋼條，當作刀托用，把手的地方用黑布膠帶纏了很多層。

「牽羊」這行，再早以前用的什麼工具不好說，但是近幾百年來都用這種管插防身，這東西比刀子要鋒利，刺起來不會卡住，不會折斷。最主要的是只要是捅進去，幾分鐘就會把血給放光，根本沒有活口。唯一不足的是，這東西只能刺不能砍，好在山上都是一些野獸猛禽之類的東西，就算是能砍，破壞力也不及這一刺。

老羊倌手裡緊握著管插，身子像是根標槍般紮在地上，屏氣斂息，一動不動，整個人似乎與這裡的環境融為了一體。他緊閉著雙眼，全神貫注地聽著四周的動靜。

只感覺到空氣中的那股子尿騷味，卻越來越濃，突然憑空就刮過來一陣腥風，刷地一下掃過了老羊倌的周身。

龍行有雨，虎行有風。

一般山中的野獸，自身都會帶著一股腥風，只不過很多時候，普通人並沒有什麼覺察，常在山上走路的人或是打獵的人，對這些則極為敏感。這股風一過，老羊倌就斷定，這裡除了這隻災獸狍即肯定還藏著其他東西。他隨即咽了口唾沫，腳下紮好丁字步，全神戒備。

徐青山站在遠處等了半天，見老羊倌竟然站住不動，也不說話，有些奇怪，就慢慢地走了過來。老羊倌耳朵極靈，聽到動靜，趕緊睜開眼睛，見徐青山正往這走來，趕緊朝著他打了個手勢。

徐青山一怔，也不知道發生了什麼事，一頭霧水地看了看老羊倌，剛要說話，就在這時，眼見一隻小老虎似的東西從背後撲向了老羊倌，速度奇快，形如鬼魅，「啊！」徐青山嚇得大喊了一聲。

老羊倌正朝著徐青山比劃著手勢，突然就感覺到腦後惡風一陣，頗不友善，心知不好，頭也沒回，往前一哈腰，身子趕緊往下一蹲。

剛剛蹲下，頭頂上嗖地一聲，越過去一個東西，帶過去一股腥風。老羊倌感覺腦瓜皮一涼，登時就出了一身的冷汗。他趕緊站起身來，舉起管插，盯著剛撲過去的那隻東西看了看，他這才看清，竟然是隻山貓，心中也是大吃一驚，暗自叫苦。

山貓也叫猞猁或土豹，這玩意兒十分厲害，稱為山裡的二大王。這種東西外形酷似家貓，但比家貓體形要大得多，四肢粗壯，尾巴很短，耳朵尖上長著很明顯的一簇長毛，經常在深山老林中出現。眼前這隻山貓看身形應該已經成年了，一身棕褐色的長毛，根根乍起，正瞪著一雙青灰色的眼珠盯著老羊倌，眼神凶光畢現，殺氣騰騰。

老羊倌深知牠的厲害，也不敢輕舉妄動，也死死地盯著這隻山貓。

他曾經親眼見過一隻山貓衝進了狍子群，一擊就咬破了其中一隻狍子的喉嚨，然後圍著剩下的那幾隻狍子開始飛快地轉圈，直到把那幾隻狍子都給轉迷糊了，這才又挨個兒給咬死。這種東西智商很高，狡猾善戰。遇見牠就跟遇到老虎差不多，肯定是得惡鬥一場，九死一生，最明智的還是要以守為主，伺機進攻，貿然地主動進攻，只會死得更快。

徐青山眼見那隻山貓撲了個空，一顆懸著心這才落了下來。徐青山見老羊倌遇到危險，當時也急了眼，左右看了看，順手從地上抄起兩塊帶尖的石頭，掂了掂分量，一咬牙，瞄準那隻山貓就砸了出去，心想，砸不死也得砸殘了牠。

就見那山貓橫向裡一扭，輕鬆地躲了過去，然後後腿一蹬地，身子在空中高高躍起，朝徐青山直撲了過來。

徐青山這邊剛一扔石頭，老羊倌就知道情況不妙，趕緊朝著他大喊，讓他快跑，要轉圈跑，千萬別跑直線，一定要不斷地拐彎。

山貓一撲之勢，足足有三、四公尺遠，眼看著那雙爪子就要搭到徐青山的肩膀了。

徐青山嚇得臉都綠了，身子趕緊往旁邊一扭，勉強地躲了過去，想起老羊倌說的話，也不敢跑直線，而是左跑三步，然後又右跑三步，以「之」字形的方式繞著跑。他玩兒了命地左躲右閃，竄蹦跳躍，一邊跑，嘴裡一邊亂叫，自己給自己壯膽，腿肚子都要嚇轉筋了。工夫不大，就被那隻山貓撵得頭昏眼花，腳底下有些發軟。

老羊倌一見，心裡著急，趕緊從身上背的鹿皮包裡摸出個破塑膠口袋，用手抓出一把像是煙絲一樣的東西，然後小心地在地上劃了一道足有兩公尺來長的直線，順手從兜裡掏出打火機就給點著了。

第15章

脫衣範

這道煙牆辛辣刺鼻，濃煙滾滾。平地拔起後扶搖直上，升起了一兩人高，才漸漸地開始飄散，就像是道流動的屏風，把對面遮得嚴嚴實實，什麼也看不清楚了。

老羊倌隔著煙牆朝著徐青山大喊，讓他趕緊跑過來。

徐青山三拐兩繞，趁著那隻山貓又一次撲空之後，趕緊折身就跑了過來，正撞上這股灰白色的煙牆，當時嗆得徐青山涕淚直流，眼睛都睜不開了。他感覺嗓子眼就像著火了一樣，不停地咳嗽，難受得要命。

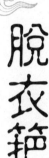

而那隻山貓往前追了兩步，馬上就站住了。應該是聞到了這股煙味，牠晃了晃腦袋，身子竟然開始打晃了，就像是喝醉了酒一樣，眼看連站都站不穩了。而後趕緊掉轉身子，搖搖晃晃地衝進草叢，眨眼間就不見了蹤影。

徐青山連累帶嚇，滿腦袋都是汗，一邊咳嗽一邊費力地問老羊倌，這是什麼煙，怎麼這麼辣，嗆得氣都喘不上來了。

老羊倌眼見那隻山貓被嗆跑了，這才長舒了一口氣，趕緊用土把地上還沒有燃盡的東西掩埋了起來，並告訴徐青山，這可是個好東西，叫「千尺雪」。

「千尺雪」的名字雖然聽起來挺雅致，實際上是把冬天的馬糞曬乾後，研成粉末，再混合一些辣椒粉和松針粉什麼的，在炕席底下壓上個把月，直到烘得乾乾的，來年就可以使用了。點燃時會發出滾滾濃煙，並且氣味刺鼻難聞，驅蟲趕獸有著奇效，就算是被狼群圍了上，也可以逢凶化吉，是牽羊的保命招術。

徐青山好半天才緩過來一口氣，嗓子裡就像喝了一斤辣椒水似的，腫得連說話都費勁。他看了一眼老羊倌，指了指自己的胸口，沙啞著嗓子說，他這胸口好像被稻草給塞上了，喘氣都費勁。

老羊倌看了他一眼，冷哼一聲：「歇兩天就好了，總比把命丟了強，剛才那山貓要不是被煙嗆走，就咱爺倆這體力根本就不是牠的對手。那傢伙的耐力極強，可以幾天不吃東西，一旦發起狠來，能陪你跑到天亮，活活把你累死。你就知足吧，能撿回一條小命，就算燒高香了！」

徐青山平時也聽村裡人說過山貓如何兇猛，可一直也沒當回事，這次終於是領教牠的厲害了，要不是老羊倌經驗豐富，估計他早就死在那山貓的利爪下了，想想還真有些後怕。

這時天也已經徹底黑了下來。山腳下的村莊裡閃爍著星點的燈光，像是夜空中的螢火蟲一樣，光亮孱弱，昏黃無力。看著夜色已深，老羊倌從地上站了起來，又看了一眼徐青山，讓他先別動在原地歇著，自己去收拾那隻災獸狏即。

徐青山有些擔心地看了看老羊倌，但是想到自己著實也幫不上什麼忙，去了也只是添亂，只好點了點頭，再三叮囑老羊倌一定要小心一些。

老羊倌撇嘴一笑，躡手躡腳地分開草叢，往前看了看。此時那隻狏即已經沒有了往日的霸氣，趴在地上有氣無力，眼瞅著就奄奄一息了。

老羊倌悄悄地轉到牠的側面，小心地藏在草叢後，貓腰蹲在地上，此時距牠只有兩公尺遠了。狏即好像覺察到了點兒動靜，把頭轉過來朝著老羊倌的方向看了看，身子並沒有動，很快又耷拉下了腦袋。

老羊倌一直盯著牠一動不動，極有耐心，過了十幾分鐘，就在牠失去戒備的一剎那，老羊倌突然往前一縱，暴起之下，手向前一送，那把鋒利的管插「噗」地一聲，刺進了狏即的咽喉裡。

那隻狏即瞬間就發出一聲淒厲的悲鳴，腦袋狠狠一轉，死死地盯住老羊倌，目露凶光，嘴巴一張，噴出一股白霧。

老羊倌趕緊撒手，滾到了旁邊。幾乎就在同時，空中突然出現一個火球，足有面盆大小，隨風而動，追著老羊倌就飄了過去。

老羊倌滾到旁邊後，根本不敢停歇，腳下用力，身子往前一撲，又跳出了兩公尺來遠，就在同時，那個臉盆大小的火球，重重地砸在了他剛剛停留的位置，叭的一聲爆裂開來。

老羊倌根本不敢回頭看，爬起來就跑，就聽到身後劈裡啪啦一連串的爆響。

管插狠狠地刺進了狍即的咽喉，大半個管身都刺了進去，血馬上就順著鋼管的末端汩汩地往外冒，地上已經流了一大攤了。只見此時那隻狍即眼神迷離，眼睛盯著老羊倌的方向，閃著凶光。

牠挺著身子奮力地撲騰了兩下，終究還是沒有站起來。這一折騰，血流得更快了，不到一分鐘，就見牠的頭重重地摔在了地上，緊接著四肢一陣抽搐，顯然是不行了。

老羊倌擦了一把額頭上的冷汗，胸口也是怦怦地狂跳，好在是身手還算靈巧，真要是慢了一秒，估計就得被那火球給撞上，那種火只要是一沾身，恐怕早就已經被燒得皮骨無存了。老羊倌心驚膽戰地又看了看那隻不停抽搐的狍即，終於長出了一口氣。

他從包裡掏出一團線繩，在線繩的末端拴上一隻特製的鐵環。這鐵環有點像是鑰匙扣，上面套著三根細細的鎖鏈，鎖鏈只有鉛筆芯粗細，精鋼打製，月光下閃著幽白的金屬光澤。每根鎖鏈長不過五寸，末端都連著一隻小鉤子，形狀大小都和魚鉤相仿，上面掛著倒刺。

這件東西叫「脫衣筢」，是專門用來給一些野獸牲畜「脫衣服」用的。上面的小鉤子根據不同情況可以增加或刪減數目。鉤好位置後，扒皮時，拉動末端的繩子，這樣幾個小鉤子拉扯的位置受力均勻，可以扒下整張皮而不留豁口，這也是幹牽羊這行常用到的一種工具。

老羊倌忙活完後，這才揮手把徐青山叫了過來，讓他拉好繩子，自己則小心地把這三個倒刺鉤分別鉤在了那狍即的脖子上，接著又從包裡掏出一把小刀，手法嫻熟地在那隻狍即的脖子上輕輕一劃，就把脖子處的皮毛給劃開了，用手按住那隻狍即的身體，讓徐青山開始往後拉繩子。徐青山也不敢大意，雙手緊握繩子，一點一點地開始繃緊。

三隻鉤子分別鉤在狍即脖子的兩側和頂端的皮毛上，這麼一拉，鉤子掛著皮毛往外扯動，整張皮漸漸地就與骨肉分離了開來，留下了一層白色的薄膜包著骨肉。工夫不大，一整張皮就被完完整整地扒了下來。

那隻狍即此時已慘不忍睹，嫩皮下的血管和肌肉清晰可見，說不出的噁心。

老羊倌就地挖了一個坑，把牠埋了進去，用腳踏平後，總算長出了一口氣。他小心地把小鉤子從毛皮上摘下來，收好後朝著徐青山咧嘴一笑，自言自語地念叨著：「都說這人走時氣馬走驃，兔子倒楣遇老雕。該咱爺倆有這福氣，這身皮回去拾掇拾掇，弄個坎肩穿穿，過冬就不愁了。」

直到現在徐青山還沒有從剛才的驚駭中緩過來，看了看老羊倌手上的這張毛皮，心裡仍然是忐忑不安。他今天才真正知道了牽羊這行的危險，簡直就是把腦袋拴在褲腰帶上。換成自己，恐怕九條命也不夠糟踐的，越想心裡越寒，忍不住連打了兩個冷顫。

老羊倌看了看徐青山，笑了笑，告訴他這行既然算是盜行，自然幹的是沒本的買賣。說是沒啥成本，其實就是拿命換錢。富貴險中求，這行裡真正說老了能有個善終的，十個裡面也挑不出兩個，大多都是不得好死。

本事越高的，死得越慘。就因為自以為是，總覺得自己了不起。牽別人不敢牽的羊，憋別人不敢憋的寶。到頭來，就算是有著一身移星換斗的本事，也免不了一死。

人心不足蛇吞象，到啥時候都得知道自己的斤兩。

徐青山點了點頭，有些擔心地看了看老羊倌：「師傅，那咱可得注意了，這命可重要，就算是有座金山銀山，沒命去花，又有啥用啊！」

老羊倌點了點頭：「放心吧，誰的命都不是鹹鹽換來的，這個我自有分寸。過幾天等那幾個人來了後，咱爺倆能拖就拖，把那死鬼拖死了，咱爺倆就解放了……」

第16章 太行山

接下來的幾天，老羊倌著手為即將開始的行動準備一些必要的東西，徐青山對老羊倌的「那一套」根本就一無所知，所以幫不上什麼忙。

私下裡，老羊倌不止一次地告訴徐青山，以後說話一定要注意，千萬不要和那些人頂著幹。咱們爺倆為的就是錢，別的事情都和咱們沒啥關係。

白素那姑娘是何宏天的外甥女，什麼事儘量都得給人家留點面子，能不惹她就別招惹她，萬一行動中意見不統一，只要不是什麼原則性問題，能聽她的就聽她的；宋長江一看就是條硬漢子，這種人寧折不彎，屬毛驢的，得順毛摩挲，只要不和他頂著幹，這種人一般也不會斤斤計較；唯獨周伍那個年輕人，讓人有點看不透，不過既然是「上面」派來的人，還是敬著點，別拿人家不當回事。

別的都好說，徐青山就看那個周伍有點兒不順眼，那人瘦巴巴的，要死不活的，派頭還不小，太能裝了，也不知道到底有多大的能耐。

轉眼間，約定的日期到了。

那天早上，爺倆剛吃過早飯不久，白素、宋長江還有周伍就到了。

老羊倌坐在炕上也沒動，透過窗戶看著三個人下了車，讓徐青山象徵性地出去迎迎。

徐青山推開門，朝著幾個人熱情地打了個招呼。

白素也對著他點了點頭，淡淡地笑了笑。

周伍還是那身裝扮，仍是病懨懨的，眼睛抬都沒抬，就像沒看見他似的，徑直走了過來。徐青山看在眼裡，心裡輕哼了一聲。

只有宋長江很熱情地和徐青山打了個招呼，咧著大嘴笑了笑，寒暄了兩句。

老羊倌坐在炕上也沒下地，見三個人進了屋，朝著幾個人呵呵一笑：「我這歲數大了，腿腳不像你們年輕人了，就不下地了，大家也用不著客氣。我們是鄉下人，沒那麼多禮節，都隨便坐吧。」

白素朝著老羊倌微微一笑：「老前輩不用見外，我們是小輩，應該的。還希望老前輩多保重身體，健康長壽呢！」

老羊倌笑了笑，打量了三個人幾眼後，便問白素：「姑娘，既然都來了，也就別藏著掖著的了。咱有啥說啥，先一起合計合計。」

白素點了點頭，回頭看了看宋長江和周伍，沉吟了一下，告訴老羊倌，他們幾個之前已經為這事忙活一段日子了，也算是小有收穫，正要說說這些事，也想聽聽老前輩的意見。

老羊倌朝白素擺了擺手，讓她不用一口一個老前輩叫著，一是他算不上什麼前輩，二是他也不老，直接叫他「老羊倌」就行，實在不習慣，就喊他「老爺子」也行。白素一聽嫣然一笑，覺得直呼「老羊倌」有些不太禮貌，而是改口叫了「老爺子」。

她告訴老羊倌和徐青山，經過多方打探，他們聽說在河北那邊的太行山脈深處，有人曾經見到過碩大的蝙蝠，只是不知道是不是這次要找的千歲蝙蝠。

老羊倌轉了轉眼珠有點兒驚訝，沒想到人家竟然已經有了些線索，本來以為他們兩眼一抹黑，什麼都不知道呢，大不了帶他們在村後的大山裡溜達個幾個月。沒想到計畫沒有變化快，橫著插了這麼一杠子，如果不去看看，難免讓他們懷疑，看來想清閒是不太可能了，這錢還真不好賺。

徐青山看了一眼老羊倌，對著白素笑了笑：「那個白小姐，你說河北那邊有大蝙蝠，你們見沒見到啊？」

白素看了看徐青山，搖了搖頭：「我們只是聽說，還沒有來得及上山，就趕了回來。所以這傳聞的真假，我們目前也不好判斷。」

宋長江在旁邊補充道：「那山上石頭遍地，雜草叢生，根本就沒有人煙，當時我們也是準備得不足，所以沒敢往深處去。」

老羊倌聽了，笑著點了點頭，又看著白素說道：「姑娘，你的意思是咱們先到那邊去找找看，是吧？」

白素笑了笑：「老爺子，我只是說了說我們這邊的情況，行動上還是聽您的，您做主就行了，我們聽您安排。」

老羊倌笑了笑，心說，這小姑娘看著年紀不大，心眼還不少，說話滴水不漏，看來也不簡單。他伸手從兜裡掏出根煙，點上之後，吐出一口煙圈，這才問她，如果現在出發，是不是用的東西都準備好了，他是一個鄉下人很少外出，可不懂這些事。

白素笑著點了點頭，讓老羊倌盡可放心，這一路上吃的用的，能想到的都準備好了，只是不知道老羊倌他們是不是還需要什麼特殊的東西，有需要她再去採辦。

老羊倌擺了擺手，告訴白素，他們爺倆的東西，自己都已經準備妥當了，只要給他們爺倆準備好吃的就行了。

說完話，他讓徐青山把包取出來，朝白素一招手，示意這就可以出發了。

徐青山身上的鹿皮兜子還有別的傢伙都是老羊倌給他準備好的，讓徐青山別管會不會都要裝得像樣點兒，不能讓別人小瞧。

老羊倌這麼做，也有自己的打算，徐青山雖說並不懂得牽羊的道道，但是好歹墊個底。至於那三個人，表面上看是一個團隊，但是真到了大難臨頭時，還不知道是怎麼回事，不得不防。老羊倌拉著徐青山入夥，並不指望他能幹什麼，只是想著至少自己多雙眼睛，也多個防備，要不自己孤身一人，勢單力薄，有些事也實在是不方便。

這個小分隊別看就五個人，但是利害關係卻很複雜，無形中分成了三派。

白素和宋長江身手都不錯，戰鬥力很強，應該是三股力量中實力最強的；而老羊倌和徐青山不管怎麼說，畢竟也是兩個人，實力上應該居中；周伍卻是孤身一人，而且好像和誰的關係都是不冷不熱，對比之下應該是這三股力量中最弱的。

但實際上，最讓老羊倌擔心的就是這周伍，雖然這人看著弱不禁風，貌不驚人，但是老羊倌始終有些捉摸不定。上面說行動委託肯定不會隨便派來一個病秧子，這人估計是深藏不露，有些特別的本事。所以，老羊倌對他反而最介意，絲毫不敢小覷。

門外停著一輛越野車，外形大氣，空間寬敞。宋長江開車，白素坐在副駕的位置，老羊倌、徐青山還有周伍則坐在了後排。

徐青山夾在老羊倌和周伍中間，時不時地偷看周伍，這傢伙自始至終悶不吭聲，眼皮下垂，也不知道他在想些什麼，看那意思好像根本不打算和大家閒聊。徐青山晃了晃腦袋，也懶得搭理他。

白素則是很健談，一路上不停地說東說西，老羊倌這才知道，他們要去的地方是河北省保定市夾子石村附近的深山。那裡屬於太行山山脈，山谷深處，溪谷亂石橫臥，渺無人跡，環境很惡劣。

太行山又叫五行山，北起北京西山，南達豫北黃河北崖，西接山西高原，東臨華北平原，綿延四百餘公里。山體地貌複雜，山勢東陡西緩，流曲溝深，峽谷毗連，海拔千公尺以下的植被大多都是灌木叢，千公尺以上才偶有雲杉或是落葉松等喬木。而這次要去的地方就在海拔一千公尺以上的地帶，可以說環境不容樂觀。

聽白素說完後，徐青山嘖嘖了兩聲，有些意外，但是他對這海拔什麼的並沒有概念，就問她一句，人在海拔一千公尺會有什麼不同。

白素笑了笑，告訴徐青山，海拔高度如果在千公尺以上的開闊地形，周邊又有明顯的陡坡邊界，就可以稱為高原了。高原海拔高，氣壓低，氧氣含量少，對人來說是項巨大的考驗，如果平時能跑五千公尺，在高原上可能也就跑到三千公尺，體力上會大打折扣。

徐青山吐了吐舌頭，心想，平地上跑三千公尺估計他都得累趴下，照她這麼說，到了那山頂上，萬一要是遇到什麼麻煩，跑起來，他豈不是得跑在最後，跑在最後的人肯定是凶多吉少，早知道這樣，他平時就應該加強鍛鍊。

不過，隨後他側頭看了看一旁的周伍，心裡多少又有了點底，也不那麼悲觀了，有這傢伙在，咋也輪不到自己墊底吧？

第17章 千年蝙蝠

一路上，大家談天說地，氣氛也緩和了不少，相互之間也漸漸地熟絡了起來，不像最初那麼拘謹了。

宋長江說話和長相一樣粗枝大葉，時不時地就給大夥講個他過去當兵時的段子，自己講得極其認真，表情也是一本正經，本來很普通的一件事情，但是讓他說起來，都像講笑話似的，逗得大夥哈哈大笑，他自己卻是一頭霧水。

白素大學讀的是醫學院，畢業後直接進入了舅舅所在的公司。她父親是當地的體育老師，懂些武術把式，她從小跟著父親練過武術，底子不錯。後來拜了一位師傅，學習了一些拳法套路，估計三、五個人也近不了她的身。

宋長江五大三粗，沒什麼文化，說話也直，粗話、髒話不經意間就甩了出來，頗有些江湖豪情，這一點倒很合徐青山的胃口。徐青山從小聽評書，滿腦子都是《三俠五義》，和宋長江是秉性相投，兩人聊得很投機。

宋長江是土生土長的東北人，老家是黑龍江的，初中畢業後就到了部隊當兵。在部隊裡幹了好些年，最後實在也是沒什麼發展，這才退了下來回了地方，先是被安置到當地的糧庫做警衛，但是上了沒兩年班，就趕上了下崗裁員，他要文化沒文化，平時又不會搞關係，所以飯碗也就沒保住了。

之後，他外出打工，保安、押運、苦力、討債要賬等活都幹過。兩個月前，他來到了何宏天所在的醫藥公司，因為有過當兵的經歷，身手不錯，人又講義氣，很快就被提拔為保安部經理。這種貿易公司，開門做四海生意，難免有些磕磕絆絆，說是保安，其實根本不是站大門守門巡邏的，而是專門為公司「擺事兒」的，全國各地四處亂跑。

這次的事，他和白素都一樣，也不知道究竟是誰讓公司這麼重視，稀裡糊塗地被抽調出來，專門負責這件事情。與委託方派來的周伍匯合後，他們開始在全國各地搜羅這些藥材，先前幾乎跑遍了國內所有的中草藥市場，仍然是一無所獲。

後來聽一個市場裡的老頭說，千歲夜明砂在大明朝時曾經出現過一次，據說是在太行山裡找到的。

等他們趕到太行山後，經過一番問詢，才打聽到一些零星的線索。當地有人提到過，前些年，還有人在山裡看到過約一公尺來長的大蝙蝠，他們都說是蝙蝠成精了，如果真有千歲的蝙蝠，估計那隻蝙蝠倒還真是算得上。

徐青山聽後一臉的驚訝，用手比劃了一下長度，嘖嘖了兩聲：「一公尺來長？這有點兒懸了吧？這麼大的蝙蝠真要是咬誰一口，不得叨下半斤肉啊？」

宋長江哈哈一笑：「山子，別信那個，再大能咋的，不也是個牲畜嘛！一刀下去，腸子都給剮了出來！」

徐青山也笑了：「江哥，不是兄弟挑好聽的說，一看你就是油錘灌頂，鐵尺排肋，摧山攪海的主兒，到時候，你可得多多關照啊，兄弟可就指望你了。」

宋長江回頭朝著徐青山撇了撇嘴，意思是真要是碰到了，也是小菜一碟。

白素回頭對老羊倌笑了笑，像是閒聊一樣，問老羊倌知不知道千歲夜明砂的事。老羊倌心裡一動，知道這是人家在探他，也用不著謙虛，咽了口唾沫，說了起來。

這種事大家都好奇，見老羊倌開口說話了，車裡的人立刻都安靜了下來，大家都豎著耳朵想聽老羊倌說。

老羊倌慢聲慢語地告訴大夥，那千歲蝙蝠吸收山澤的靈氣，日久色白如雪，飛行有風，常在雨天時出來，生性兇猛，可口吐寒精，寒氣襲人，三伏成冰，難以接近。普通的夜明砂中間鼓，兩頭尖，和大米粒差不多大小，都是由各種昆蟲的殘肢斷骸組成的，茄皮子色。

但是「據說」這千歲夜明砂，卻是潔白如雪，長有一寸餘，有股寒冽之氣，入手冰涼，擲水結冰。

老羊倌說完後，全車的人差不多都愣住了，就連一直睡不醒的周伍，這時也微睜雙目看了一眼老羊倌，不過很快又閉上了眼睛。

白素好半天才回過神來，對著老羊倌笑了笑，說道：「沒想到老爺子竟然有這等見識，真讓我們這些小輩佩服。我雖然是學醫學專業的，但是以前確實聞所未聞，找了很多書，才在《抱朴子》中找到了幾十個字的介紹，『千歲蝙蝠，色如白雪，集則倒懸，腦重故也。此物得而陰乾末服之，令人壽萬歲。』除此之外，一無所知。還是老爺子見多識廣，漁經獵史，博物多聞啊！」

老羊倌雖然臉上看不出有太大的變化，但是心裡那叫一個美！

他並不糊塗，心裡明白眼下這情況，要是不露兩手，也鎮不住這些人。就得先讓他們心服口服，以後才能牽著他們的鼻子走，到那個時候，自然是他說一是一，說二是二了。

傍晚時分，經過十幾個小時的顛簸，終於到了夾子石村。

下車之後，每個人都是一臉倦態，望著不遠處的巍巍大山，心裡多少都有些抵觸。放著好好的日子不過，要在這深山老林裡鑽來鑽去，如果還有別的選擇，誰也不願意整日提心吊膽地過活。

老羊倌擺了擺手臂膀子扭了扭腰，活動了一下腿腳，轉頭問白素，是直接上山、還是先找個地方休息一下。

白素看了看宋長江和周伍，宋長江倒是滿臉不在乎，看那精神狀態，好像剛從按摩店出來似的，眼神睜亮，精神頭十足。周伍還是那副老樣子，耷拉著腦袋，靠在車身上，不正眼瞧人，也不發表意見。

白素無奈地搖了搖頭，回過頭來對老羊倌說：「要不這樣，大家一路顛簸，身體都乏了，不如找個地方先休息一晚，明天再上山吧。老爺子怎麼看？」

老羊倌點了點頭：「我看這樣挺好，我這老胳膊老腿不像你們年輕人，坐了這一天車，抬腿都費勁了。這車跑得是快，不過真沒有坐馬車舒服，腿屈著也伸不直，不解乏啊！」

眾人聞言哈哈大笑，又分別上了車。

這村子就在山腳下，因為近幾年旅遊熱，大山也開發出幾個景點，外地遊客絡繹不絕。村子也借此機會大力發展，家家都開起了「農家樂」，常年招待外地遊客。

車子剛停穩，主人聽到動靜就迎了出來，極為熱情地把一行人請進了屋裡，端茶倒水忙前忙後的，服務很到位。

沒一會兒，滿滿一桌子菜就都上齊了。

白素和周伍滴酒不沾，老羊倌老來持重，也沒敢多喝。

倒是徐青山和宋長江哥倆好，喝得有點兒多了。

宋長江明顯有點喝高了，舌頭都有點兒硬了，直拍徐青山的肩膀：「青山兄……兄弟，你……你是我……我親兄弟，誰要……要是對你……你不客氣，哥哥我……我第一個饒不了他！」

徐青山眼神發直，沖著宋長江一挑大拇指：「江哥，一看你就是紅……紅臉漢子，是要面子的人。上……上有天，下……下有地，離地三尺有神靈，誰要是跟咱哥倆過不去，先從兄弟這一百多斤身上跨過去！」

白素聽他們說得粗俗，皺著眉頭斜眼看了看他們倆，顯然有些不高興，但礙於老羊倌的面子，也沒有多說，凳子往旁邊拉了拉，和老羊倌說起了明天的日程計畫。至於安排，老羊倌說得很簡單，不到現場也看不出個苗頭，現在說什麼也無濟於事。爭取明天傍晚前爬到海拔千公尺以上，而且要找個適合休息的地方紮好營，最重要的是帶足糧水，估計沒有十天半個月是下不來的。

周伍飯量不大，吃了一碗飯後，象徵性地朝著幾個人點了點頭，就回屋去睡覺了。

老羊倌這才問白素，這周伍到底是怎樣的一個人。

白素下意識地往屋裡看了看，回過頭來笑了笑，告訴老羊倌，他們一起也有段日子了，不過總共說的話不到十句。平時他也沒什麼話，也不知道是什麼來頭，很神祕的一個人。

老羊倌微微一笑，沒有言語。不知道是白素真的一無所知，還是人家不想多說是非。不過量他一個小猴崽子也掀不起多大的風浪，小車不倒向前推，混到哪天算哪天吧！

第18章

女人笑

第二天，一大清早，幾個人吃過早飯後，和這家主人打了個招呼，把車寄放在了這裡，一行人浩浩蕩蕩地直奔村後的大山。

找東西不像是撿東西那麼簡單，所以這次大家也做好了充分的準備，所帶的物資裝備都足夠這些人在山上堅持半個月了。雖然東西負重很多，但也是沒辦法的事情，畢竟山高路險，也不能三天兩天就下次山，所以除了老羊倌之外，每個人都背了滿滿的一包裝備，單單吃的喝的，就占了相當大的比例。

按宋長江的意思，大家可以靠山吃山，山上逮到什麼就吃什麼，用不著帶這麼多東西，不過白素總感覺那樣不太衛生，也不保險，山頂上要是有吃食還好，萬一沒有或是很少，一票人根本就吃不消。

到頭來沒辦法，一切能想到的東西都裝在了包裡，當然主要負重的還是宋長江。這傢伙背後的背包圓鼓鼓的，全身上下能掛的地方都掛上了東西，也不知道亂七八糟的都是些什麼，不過看樣子就知道分量不輕。但他就像是背了個棉花包似的，根本就不在乎，依然健步如飛，時不時還回頭說幾句笑話。

這裡的山是典型的喀斯特岩溶地貌，岩石突露、奇峰林立。這種地貌通常地下會有溶洞、地下河，以及與地下相聯的豎井和芽洞。環境可以說是複雜多樣，暗地裡危機重重。

山勢立陡，甚至整個山體就是由幾塊巨大的岩石拼疊組成，腳下的覆土層都不厚，大多地方都是裸露的岩石，山上的植被多是一人來高的灌木，至於高大的喬木，在這裡樹根沒法紮得太深，也就很難存活了，只有山頂上或是山谷中才會有一些參天古木。

爬這種山十分消耗體力，起初還有一些臺階或是上山的小徑，爬到最後已經沒有路了，甚至都找不到有人活動的痕跡。齊腰深的茅草長得十分繁茂，嚴嚴實實地遮住了地面，從上面看茅草長得都差不多高，但是一腳下去，很可能會一腳踩空，稍不留神就得吃大虧。

好在宋長江有些經驗，走在前面開路，但就是這樣，大家走起來也是磕磕絆絆。

白素看了一眼手腕上的登山錶，告訴大家目前的位置大約在六百公尺左右的高度了，基本上已經爬了一半了。

徐青山一聽，抬頭看了看頭頂的太陽，累得直咧嘴。

眼下正是七月末，驕陽似火，山中很少有大樹可以遮蔭，四周山峰遮擋，更是一絲風也透不進來，顯得悶熱無比，衣服早就被汗水給浸透了，要不是提前做了準備，大夥恐怕早就中暑了。

老羊倌一直不急不慢地跟著宋長江，爬到現在，鬢角也見了汗，回頭看了看其他幾個人，擺了擺手，讓大家先停下來，歇一歇。眼看著就到晌午了，避避太陽，吃點東西喝點水再往上爬也不遲。

白素這一路上雖然沒怎麼叫累，但是看那一頭汗水，滿臉潮紅的樣子，就知道體力也是用得差不多了，只不過是靠意志在硬撐著，聽老羊倌這麼說，也附和著點了點頭。

周伍一路上也沒怎麼吭聲，他在最後面一直緊緊地跟著，竟然沒有掉隊，實在是出乎所有人的意料。

於是，幾個人席地而坐，各自找個舒服的位置歇了下來，一邊喝著水，一邊嚼些乾糧補充體力。

徐青山一邊嚼著麵包，一邊聽宋長江口惹懸河的扯一些當兵時的有趣段子，兩個人時不時地互侃兩句，說說笑笑，倒也輕鬆自在。

白素歇了一陣，緩得差不多了，看了看老羊倌，客氣地說道：「老爺子，對於牽羊這一門，我們都是門外漢，如果有什麼需要幫助的，您得提前告訴我們，我們也好有個準備，以免到時候措手不及。」

老羊倌看了看白素，點了點頭，讓她放心，需要幫忙時，他肯定會提前打招呼，不會客氣的。如果這大山裡真有千歲蝙蝠，相信自己總會看出些門道，等爬到山頂之後，先望望山氣到時再看看吧。

說到這兒，老羊倌苦笑了一下，給白素潑了盆冷水，讓她也不用抱太大的希望，這種事可遇不可求，未必一定就能找到，得做好長期奮戰的準備。老羊倌故意提前打預防針，也是想能拖就拖，巴不得早一天能聽到信兒，只要上邊的那個人咽了氣，他們這邊的滿天烏雲也就全散了。

老羊倌這麼一說，所有人都不吱聲了。不過他們多少也習慣了這種事，一次次充滿希望，一次次失望而歸，失望的次數多到一定程度，心裡反而淡定了不少。

半個小時後，這些人起身活動了一下腿腳，繼續趕路。這片大山山勢陡峭，雜草叢生，有的時候連天空都看不到，四周的野草沒過頭頂，只能在裡面鑽來鑽去。萬幸的是，他們終於在太陽西斜時，爬到了山頂。

山頂地勢平緩開闊，足有幾個足球場那麼大，就像是利斧砍去了山尖，留下的一處平臺似的。站在山頂遠眺，四面群巒疊嶂，連綿起伏，就這片大山，憑兩條腿恐怕一年半載也未必能走完。

宋長江和徐青山兩個人卸下了背包，開始支帳篷；周伍則在一旁幫著白素挖坑建灶，準備點火做飯。

老羊倌站在高處，迎風而立，瞇著眼睛遠眺，觀察四周的山巒氣色。

山川大地，生氣流動，不同區域生氣有所不同，也就有了不同的地相。天地的氣，因形體而止，留而下去，萬物變化生存都由氣而生，因而形氣合一。就像日月星辰的陽剛之氣向上騰升，山川草木的陰柔之氣向下凝集，所以不同的地方生氣流轉不同，所表現出來的地相也大不一樣。

牽羊術中的「望氣」與倒斗盜墓中的「觀山」同出一源，都是源於陰陽風水術中的「察形觀勢」，只不過在細節上略微不同。

陰陽先生望氣都在太陽升起之前，而牽羊這門則在日落之際，陰氣漸萌之時。望氣時一般微睜雙目，用眼角的餘光觀察山川水澤之氣，也就是說，如果想要觀察正前方，一般頭都是稍稍歪一下。

《相靈古譜》中對觀氣的顏色有專門的記載：「黃靈青妖，赤寶白絕。」意思是說，如果氣色金黃，則是有天靈在此修行；青色一般是妖畜成精；紅色有地寶孕育；白色則空空如也。

這裡的山脈形成已經千萬年了，奪天地之造化，吸日月星辰之精氣，山中有些天靈地寶，也並不稀奇。

白素把火燒上之後，輕輕地走了過來。

老羊倌聽到腳步聲，回頭朝白素笑了笑，告訴她，這山裡的確有幾個好地方，生氣凝潤，金氣籠罩，離這裡有段距離，但是一時間也不能判斷會不會有千歲蝙蝠。牽羊望氣最少要七天，這事也不能急於一時，貿然地往前闖，弄不好會走更多的冤枉路。山裡地形複雜，還是在這裡多留幾天，繼續觀察再看看。

白素聽完之後，似懂非懂地點了點頭，朝著老羊倌微微地笑了笑，自己也站在那兒東張西望望，四下眺望了起來。

片刻之後，大家終於吃上了一口熱飯時，這時天已經黑了下來，山頂的氣溫比山下要低得多，山風陣陣，竟然有絲涼意。

徐青山吃飽後看了看天，忍不住拘了拘肩膀。

宋長江從包裡抽出件衣服扔給了他：「兄弟，冷了吧？咱這裡比山下起碼差了六、七攝氏度，披件衣服吧，半夜更冷。」

徐青山感激地笑了笑，接過衣服來，看看只穿著小背心的宋長江歎了口氣。

山頂上的風很硬，幾乎每個人都加了件外套，只有宋長江渾不在意，坐在篝火旁擺弄著一把匕首。火光閃爍不定，就像每個人的心情一樣。

出發前本來準備了三頂帳篷，但是除了白素，誰也不願意睡帳篷裡，大家都覺得帳篷裡面太悶，在地上鋪好防潮墊，直接就都躺在了地上，地為床，天做被，倒也風涼。

這一天下來，大家都是筋疲力盡，時間不長，呼吸漸沉，先後都進入了夢鄉。

荒郊曠野，寂若死灰，除了細微的風聲就是偶爾的蟲鳴，這樣的夜顯得更加漫長。

不知道過了多久，突然夜空中傳來一陣女人的笑聲，聲音尖銳刺耳，深夜裡平增幾分淒厲。老羊倌立時睜開眼睛，身子沒動，側耳細聽。

「咯咯……」又是一串笑聲從遠處傳過來，聲音忽高忽低，回聲悠長。

老羊倌就地一滾，把身子隱在了山石的陰影裡，後背緊緊地貼在了石頭上，一伸手拔出了管插，循著聲音的方向望了過去。

宋長江反應也不慢，就勢一滾趴在了地上，抽出匕首，伸著脖子左右看了看，抬頭望了望天，也是一臉的驚愕。

笑聲過後，好半天，也沒有再聽到什麼動靜。

白素從帳篷裡輕輕地爬了出來，手裡也握著匕首，心驚膽戰地看了看徐青山和宋長江，小聲地問他們是不是聽到了什麼動靜。

徐青山趴在地上點了點頭，告訴白素，剛才好像有女人在笑。

荒郊野外，風清月皎，好幾個人都聽到了動靜，很明顯剛才的笑聲不是幻聽，不過不知道為什麼突然就沒了動靜。

足足過了五分鐘，宋長江左右看了看，直起了身子，從地上爬了起來，冷哼了一聲：「三更半夜的，哪兒來的女人？估計是聽錯了，山裡的動靜多，說不定是什麼玩意兒。」

話音剛落，頭頂上空飛快地掠過了一個影子。

第19章 夜貓子

白素指著天空，嚇得失聲叫了出來，一臉驚駭，胸口劇烈地起伏。

宋長江也聽到頭頂有動靜，趕緊又趴在了地上，而後抬頭往天上看了看，就見夜色如墨，綴著幾顆殘星，根本看不到有什麼東西。那道黑影如鬼魅般地飄了過去，速度極快，眨眼的工夫，竟然不見了。

宋長江握緊匕首左右看了看，下意識地把白素擋在了身後。

徐青山手裡攥著管插，嚇得也是直咽唾沫，剛才那道黑影的速度實在是太快了，「嗖」地一下就隱在了夜色中，壓根就沒看清是什麼東西，等他仰頭再看時，早就不見了蹤影。

老羊倌隱在暗處看得清楚，踱步從陰影中慢慢地走了出來，剛要開口說話，突然發現好像有些不對勁兒，仔細看了看，這才發現周伍竟然不見了。

剛才事發突然，所有人的注意力都被那笑聲吸引住了，緊接著又都集中在剛才的那道鬼影身上，周伍什麼時候不見的，連他都沒有察覺到，這深更半夜，黑燈瞎火的，那小子能去哪兒呢？

老羊倌看了看白素和宋長江，朝著旁邊的空位努了努嘴。

白素和宋長江不知道是怎麼回事，下意識地往旁邊看了看，這才發現周伍的毯子還在，人卻不見了。

白素看了一眼宋長江，見他也是眉頭緊鎖，顯然也是不知道周伍去了哪裡，趕緊朝老羊倌搖了搖頭。

就在這時，突然從樹林裡閃出一道人影，腳步很輕，一直走在陰影中，朝他們這兒慢慢地走了過來。

宋長江聽到聲音舉起匕首，朝那人影大喊了一聲：「誰？什麼人？」

人影怔了一下，聲音冰冷地答道：「是我，周伍！」

這時候白素找到了手電筒，往遠處照了照，果然是周伍，這才長出了一口氣，便問他剛剛去哪兒了。

周伍走到近前，眼皮一垂，說是剛才肚子不舒服，出去方便了一下。

宋長江有些懷疑地往周伍走來的方向看了看，上下打量了他一番，問他剛才有沒有聽到什麼動靜。

周伍看都沒看他，略微搖了搖頭，沒有吱聲，而後越過宋長江，走回了自己的毯子處。

宋長江的眼睛當時就瞪起來了，覺得這周伍有點太不把他當回事了，別人問話，好歹他還說兩個字，到自己這裡，連個屁都沒有，顯然是沒把自己放在眼裡。他粗氣一喘，手一撐地就要站起來。

徐青山見狀，生怕宋長江惹禍，趕緊偷偷地拉了他一把。

白素知道宋長江一直看周伍不順眼，也怕他惹禍，趕緊打破了這種尷尬，轉身問老羊倌：「老爺子，剛才是什麼東西，一眨眼就不見了，您看著了嗎？」

老羊倌笑了笑，讓大夥不用緊張，說那就是隻貓頭鷹。

聽說是隻貓頭鷹，宋長江有點意外，咧著大嘴看了看老羊倌：「啥玩意兒？貓頭鷹？在哪兒呢？」

老羊倌用手指了指斜前方的一棵大樹，告訴宋長江，順著樹幹往上看。

宋長江順著老羊倌手指的方向抬眼看了看，遠處一片漆黑，根本就看不見什麼。他還有些不甘心，從白素手上接過手電筒，順著樹幹往上照了照。果然，約兩層樓高的樹上有隻貓頭鷹，兩隻眼珠反射出兩道精光，像是兩盞探照燈一樣，正盯著這夥人。

徐青山聽說是貓頭鷹，臉色就是一變。

在農村，人們又把貓頭鷹稱作夜貓子，都說「夜貓子進宅，無事不來。」這東西絕對不是什麼好鳥，基本上和烏鴉歸為一類，都是不祥的預兆。有句老話講，「寧聽夜貓子叫，不聽夜貓子笑。」夜貓子一笑，這地方就要死人，就會有人到閻王爺那兒去報到。

一想到剛才那咯咯的笑聲，徐青山立時就出了一身的冷汗，有些害怕，剛要說話，見老羊倌偷偷瞪了他一眼，趕緊把嘴閉上了。

宋長江本來就是天不怕地不怕的主兒，對這些事根本就不在乎，見只是一隻夜貓子，長出了一口氣，張著大嘴打了個哈欠，倒頭又睡去了。

老羊倌看了一眼徐青山，什麼也沒有說，對著大家擺了擺手，讓大家別再尋思這事了，趕緊接著睡覺，還有幾個小時天就亮了。

重新躺下之後，徐青山輾轉反側，睡意全無，看著身邊的老羊倌，想問又不敢問，心裡一陣糾結，好不容易才熬到了天亮。

直到天邊泛起了魚肚白，徐青山才矇了一會兒，等宋長江喊他起來時，天已經大亮了，他揉了揉發酸的眼睛，伸了個懶腰，總算是精神了一些。

白素已經做好了早飯，喊大夥過來吃。

山上條件有限，大家吃的也非常簡單。白素把壓縮餅乾（口糧）煮成了糊狀，再給每人配條火腿腸什麼的湊合一下。雖然味道並不怎麼樣，但是好在熱乎，喝了一碗後，趕走了一身的寒氣，身上也就不覺得涼了。

宋長江吃飽後扔給徐青山一根煙，然後對著老羊倌比劃了一下，老羊倌擺了擺手，示意抽自己的，宋長江點了點頭，也沒多讓，又把煙塞回了煙盒。

晚上發生的事情不知道是大夥真的毫不在意，還是有意避開不提，吃過早飯後，幾個人東拉西扯，誰也沒說半夜的那隻貓頭鷹的事，好像都忘在腦後了。

老羊倌一連幾天不提離開這裡的事，每天到了黃昏日落的時候，他就到高處瞇著眼睛四處瞭望，一直看到太陽落山，夜幕漸深，才慢慢地踱步回來，什麼也不說。他不吱聲，也沒有人敢多問。

到了第五天，宋長江實在是有點兒受不了了，吃過早飯後，一邊抽煙，一邊問老羊倌：「老爺子，咱在這兒還得待多久啊？天天在這兒窩著，啥意思也沒有啊，您老人家看沒看出點兒名堂來啊？」

白素一聽，生怕老羊倌不高興，趕緊攔過話頭，對著老羊倌笑著說：「老爺子，江子不問我也想問了，我們在這裡也待快一週了，物資給養也用了一些，不知道您有什麼計畫沒有，我好安排一下物資的使用，免得到時候措手不及。」

老羊倌看了一眼宋長江和白素，笑了笑。

其實老羊倌這幾天早就看出了一些眉目，一直沒有吱聲，就是想著能拖就拖，實在拖不下去了，再往前走一步，然後接著再拖，拖到最後，這任務也就不了了之了。看眼下這情況，這些人也確實有點急了，這裡也不好多磨蹭了。

老羊倌站起身來，用手指了指北方，緩緩地說道：「這群大山氣脈繁雜，倒是有幾處秀美之地，不過我看了好幾天，最有可能的還是在北邊的那個山凹裡。那裡山形單看像是頂紗帽，但是結合左右的山形相拱護衛，倒是處勒馬回頭的貴格之地。」

見老羊倌終於開了金口，幾個人都興奮地圍過來，朝著老羊倌所指的方向看了看。

老羊倌告訴他們，那裡的山凹一起一伏，平地則相牽相連，斷而復續，起伏有致，林木茂盛。他觀察了幾天，每到傍晚，就會有一股明黃之氣破谷而出，谷裡肯定有東西，但到底是不是要找的千歲蝙蝠，現在也看不準，只能到了地方後再說。

宋長江看了半天，晃了晃腦袋，指著那山谷咧了咧嘴：「老爺子，你說的那山谷看著挺近，但是走起來沒有個十天八天的，我看是夠嗆啊！」

徐青山瞅了瞅，心裡好笑，知道是老羊倌在耍滑頭，故意在拖延時間，心裡忍不住暗笑，拍了拍宋長江的肩膀，大義凜然地說道：「吃得苦中苦，方為人上人。兵隨命令，草隨風，就是萬里長征，咱也得走啊！」

宋長江一聽，點了點頭，咧嘴朝著徐青山笑了笑：「老弟，咱可不是怕費事，就怕有人撐不住啊！」說完後，有意無意地看了一眼周伍。

周伍頭一扭，像是沒聽到似的，根本就不理睬。

徐青山偷偷地撇了撇嘴，拍了拍宋長江的肩膀，意思是讓他別和那小子一般見識。

白素清點了一下餘下的物品，告訴老羊倌，剩下的食品倒還是夠用，只是水用得快差不多了，這幾天天氣悶熱，水消耗得有點快，走路的時候，只能再補充些山泉水了。

老羊倌點了點頭，讓這幾個人收拾一下，準備好了就出發。

宋長江背著大大的背包，仍然走在最前面，好像是故意要讓周伍難堪，甩開大步，頭也不回，速度越來越快。

徐青山和白素緊緊地跟在後面，剛開始還好說，走了不到一個小時，就感覺兩條腿像是灌了鉛似的，都有點兒邁不動步了，兩個人相互看了一眼，搖頭苦笑。

宋長江好像故意使壞，一會兒加速，一會兒減速，把整個行進的節奏都給打亂了。

上山就是這樣，勻速還好說，時快時慢，最消耗體力，再加上這裡本身海拔比較高，氧氣相對稀薄，兩個小時不到，後面的人都有些吁吁帶喘了。

徐青山在後面咽了口唾沫，實在是堅持不住了，兩手拄在膝蓋上，朝著宋長江喊：「江哥，停……停吧，你這走路一股子一股子的，實在是跟不上了，歇會兒再走吧！」

第20章 大胡蜂

宋長江雖說是身強體壯，但是畢竟負重幾十公斤，這一通急行軍下來，說不累那是假的，聽徐青山喊他停下來，也正好順坡下驢。回頭看了看後面這幾位齜牙咧嘴的樣子，他大嘴一撇，沒等說話，胸部可挺得高高的，是故意逞強罷了。

不過，剛得意不到一分鐘，他就看到了周伍，眼睛當時就瞪圓了，他實在是不敢相信，這病鬼沒掉隊不說，竟然連口粗氣都沒喘，甚至是一滴汗也沒有，體力似乎比自己都要好出一大截，心裡不免有些糾結。

老羊倌看宋長江眼神不對，回頭一看是周伍，他心裡也是有些納悶，這傢伙可真是高深莫測，想想他昨晚的突然失蹤，更是有些拿不準了。

以自己的耳力，如果他真是半夜起來去解手，不可能會聽不到動靜。除非是他的動作極輕，輕到可以完全隱藏在那些蟲鳴蛙叫的聲音中，如果真的是這樣，那這個人絕對不是普通人，一定是個不簡單的人物。

宋長江有點無趣地左右看了看，一屁股坐在一塊山石上，從旁邊揪了個盤子大的葉子，當成扇子來回扇著。一邊扇著風，一邊斜瞟著周伍。

自從相處以來，他就看周伍不順眼，一個病秧子，也不知道有啥可牛的，對誰都是愛答不理的，窮裝擺譜。要不是礙於白素和老羊倌在跟前，自己早給他顏色看了。

宋長江雖魯莽，但是也不傻，也就是心裡有些憤憤不平，知道不能故意挑事。本來想著先給周伍來個下馬威，殺殺他的銳氣，給他點兒苦頭嘗嘗，真要是他跟不上了，說幾句軟話，自己也就慢點走了，想不到人家根本就沒咋的，倒把自己累得夠嗆。

心裡正煩躁之時，突然聽到嗡嗡的聲音繞頭直轉，扭頭一看，不知道什麼時候飛來一隻蜜蜂，圍著他轉了幾圈後，最後竟然落在了他的身上。

宋長江一見，氣不打一處來，正憋著一股火沒處撒，也沒多想，鼓腮幫子用力一吹，打算把這蜜蜂給吹跑。

這一口氣吹出去，宋長江就覺得身上像是被針扎了似的，當時疼得一激靈，大熱天的接連打了兩個冷顫。他心裡無名火起，想也沒想，掄起巴掌，「啪」地一下就把那隻蜜蜂給拍得稀碎。

拍完之後，他回頭看了看，這才發現剛才揪草葉的那棵草旁邊，乾巴的樹枝子上竟然掛著個蜂巢，有飯碗大小，十幾隻蜜蜂正圍著蜂巢嗡嗡地飛個不停。宋長江火冒三丈，站起身來，一腳就踢了過去，那個蜂巢劃出一道弧線，「啪」一下飛出三、四公尺多遠，滾了幾下後摔在了地上。

蜂巢一落地，裡面的蜜蜂可就炸了窩，眼瞅著像是變戲法似的飛出來一大群蜜蜂，像是一團烏雲一樣，朝著宋長江就撲了過來。

旁邊的老羊倌聽到動靜，扭頭一看，當時嚇得臉都綠了，「噌」地一下站了起來，對著宋長江喊，「快閃！」要他趕緊閃開。

宋長江也沒料到這蜂巢裡會有這麼多的蜜蜂，也是嚇了一大跳，想跑是來不及了，就順手從背包上抓過一件衣服，左右翻飛，掄了起來，打得那些蜜蜂七零八落，四處都是。

這群蜜蜂被宋長江這麼一掄，打得四處都是，旁邊的幾個人也沒跑了，眨眼間也都被蜜蜂給圍上了。

白素嚇得手足無措，慌亂中也學著宋長江的樣子，來回用手遮擋，時不時地尖叫一聲。

徐青山也嚇得不輕，剛要逃跑，突然發現這些蜜蜂好像根本看不見他似的，竟然沒有一隻衝向自己，一時有些愣了。再看老羊倌也是一樣，身邊乾乾淨淨，沒有受到蜜蜂的襲擊，突然想到他給自己抹的百里香，這才恍然大悟，心裡不免一陣慶幸。

宋長江雖然掄著衣服打掉了很多蜜蜂，但是臉上、胳膊上還是被蜇得不輕，已經腫起來很高，臉都胖了一圈，顯然這種蜜蜂毒性不小。老羊倌趕緊從包裡掏出百里香，自己倒了一些在手上，把瓶子扔給徐青山，讓他給白素抹上，自己奔向了宋長江。

徐青山接過瓶子，用手倒出來一些，搓了搓，然後走到白素近前，來不及說話，大手一伸，也不管是鼻子還是臉，前胸還是後背，上下一陣摩挲。

白素已經嚇得六神無主了，見徐青山從頭到腳把自己給摸了一遍，惱羞成怒，下意識地抬腿一個轉身側踢，一腳踢在了徐青山身上。

白素滿臉通紅，指著徐青山怒喝：「你幹什麼？」

徐青山撲通一聲摔在了地上，疼得齜牙咧嘴，哼唧了半天才從地上爬起來。這一腳把他蹬得差點兒背過氣去，雖然地面並不硬，但也是胸口發悶，嗓子眼兒發鹹。這一腳也把他給踹清醒了，一想到剛才自己的行為，確實有點不太禮貌，但心裡也是憋屈，於是朝著白素一瞪眼：「好心沒好報，救你一命，還挨了個窩心腳。早知道你這人這樣，不如讓蜂子蜇死你算了。我真是活該自找的！」

白素也知道剛才這一腳確實有點兒重，聽徐青山這麼一說，這才注意到自己身邊現在竟然連一隻蜜蜂都沒有了，心裡也有些奇怪，再一提鼻子細聞，身上好像是有一股子很難聞的味道，想想剛才的情景，這才知道，徐青山剛才是好意幫忙。

她臉一紅，有些不好意思地對徐青山笑了笑：「對不起，剛才是我失手了，謝謝你！」

徐青山一聽，腦袋一晃：「別，姑奶奶，你可別這麼說，你這一失手，我差點兒見閻王去了。下次，倒找我錢，我也不管這事了！」說完，用手撐著地，勉強地站了起來。

白素站在那裡，心裡七上八下，亂成一團。

雖說徐青山是好意，可是長這麼大，還是頭一次讓個男人從頭到腳給摸了一遍，想想是又羞又愧。她突然感覺胳膊上火辣辣地刺痛，渾身止不住地直打冷顫，額頭禁不住開始往外冒冷汗，趕緊低頭看了看，見胳膊上腫了好幾處，顯然是剛才被蜜蜂給螫的。

宋長江那張臉明顯都大了一號，腫了好幾個大包，眼睛都有點兒睜不開了。老羊倌給他抹完藥後，轉身就奔周伍跑去，不過剛跑了兩步就停了下來，就見周伍始終竟然一動沒動。看他的樣子，顯然是沒被蜜蜂螫到，剛才忙得一鍋粥，也沒有看清，不知道這小子是怎麼躲過這些蜜蜂的。

老羊倌朝著他笑了笑：「你沒事吧？」

周伍搖了搖頭，面無表情地看了看宋長江和白素，起身站了起來，說是去找點兒草藥，也不等別人說話，轉身就鑽進了草叢中。

望著周伍的背影，老羊倌心裡的問號越來越大，但是這時候也沒時間考慮這些，他從包裡翻出個小瓷瓶，倒出兩粒藥丸，讓宋長江和白素各服一粒。

宋長江接過來後，想也沒想，一揚脖就扔進了嘴裡，一口水就灌了下去。

白素接過來後，看了一眼，放在嘴裡嚼了一下，微微笑了笑，一口水送服了下去。白素學醫出身，這種藥丸一看就知道是自己做的，肯定是什麼偏方土方，嚼了兩下，從味道上可以分辨出，應該有黃連、黃芩、甘草等解毒消炎的藥材，藥性自然不言而喻。

吃完了藥，宋長江還是氣得直罵娘，朝著徐青山直念叨，老子出來時也忘看日子了，真是倒八輩子大楣了。

徐青山在旁邊幫著宋長江用鹽水清洗胳膊，聽他這麼一說，歎了口氣：「江哥啊，我真服了，你說你放著地上的禍不惹，專惹天上的，你這麼大的能耐和這些東西較什麼勁啊！」

白素在旁邊也疼得直咧嘴，她看了一眼宋長江，嗔怪道：「江子，不是我說你，你也太毛躁了。要知道剛才那些可不是普通的蜜蜂，那是大胡蜂！毒性很厲害的，要不是老爺子，咱倆估計就得中毒了，搞不好會急性腎功能衰竭而亡。」

大胡蜂也叫黃蜂，雌蜂尾端有長而粗的螫針與毒腺相通，蜇人後會將毒液注入人體，但螫針並不留在皮內。被牠螫了之後，人會立刻皮膚紅腫、頭痛、頭暈，嚴重者會嗜睡、全身水腫，甚至昏迷休克。這種大胡蜂在山上輕易沒有人敢惹，真要是被螫了一兩百下，當時就得倒地中毒而亡。

聽白素這麼一說，宋長江也沒了動靜，耷拉著腦袋，不說話了。

第21章 眼睛

一會兒工夫之後，周伍回來了，他把採來的東西給宋長江和白素各分了一些，讓他們嚼爛後敷在被蜇的部位上。

白素接過來後臉色一變，看了看周伍，沒有出聲，摘下幾片葉子就開始嚼了起來。

宋長江對周伍的幫助視若不見，哼了一聲，他一點也不想接受這個人的好意。

徐青山偷偷地捅了一下宋長江，低聲勸了一句，他這才伸手抓過來，也沒說話，直接擼了一把葉子就塞進了嘴裡。

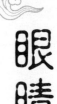

這些野草其實是蒲公英和馬齒莧，都是些大山裡常見的草藥，散血消腫，解毒通淋，專治紅腫疼痛。大山裡能找到這些東西並不奇怪，而讓白素沒想到的是，以前從來沒聽說周伍懂得藥性，不禁暗自吃驚。

白素把嚼爛的草葉一點一點地敷在被蜇的部位上，然後看似漫不經心地看了他一眼，問他怎麼會認識這些草藥。

周伍慢慢地睜開了眼睛，朝著白素笑了笑，告訴她，他從小就在山裡長大，南方的蛇蟲多，自小就知道一些土方法，藥性什麼的說不出來，但是知道這個會管用。

白素聽完點了點頭，心裡仍然是半信半疑。

這場突如其來的變故，打亂了先前的計畫，顯然宋長江和白素很難再繼續前進了，雖說是剛剛吃了藥丸，也塗了一些草藥，但是一時半會兒也好不過來。

白素還好些，畢竟她在後面，受到的襲擊少一些。

可憐宋長江全身都差不多被大胡蜂給蜇遍了，傷得不輕，就算是身強體壯，腦門子也見了汗，臉色煞白，顯然中毒不輕，他開始感覺到頭暈目眩了。

老羊倌看了看，讓徐青山和周伍扶著宋長江到旁邊的大樹底下躺一會兒，只能就地休息，讓他自己緩一陣，看看情況再說。實在不行也只能先打道回府，先把他的中毒醫治好，再從長計議了。

宋長江躺在樹陰下，很快就迷迷糊糊地睡著了，呼吸沉重，要不是胸口還在微微地起伏，就跟死了差不多，一點兒動靜也沒有。

徐青山看了看宋長江，不免有些擔心，轉頭又看了一眼白素，剛好碰到她投過來的目光，兩個人目光在空中一撞，都一扭臉趕緊避開了。

老羊倌掏出根煙來，坐在地上一口接一口抽了起來。好半天才站起身，讓徐青山去撿些木柴，留著晚上過夜用，這裡荒郊野外的沒有火可不行。自己則拎起水囊去找水，臨走時特意交代了周伍幫著照顧一下白素和宋長江。

周伍微微點了點頭，就又閉上了眼睛，靠在樹上繼續打盹。

估計白素從來也沒有遭過這種罪，她一聲不吭，看上去心情極為低落。還不如宋長江，昏昏而睡，倒也落個清靜，她說什麼也睡不著覺，看著胳膊腫得老高，什麼心思都沒有了。

現在的位置是在兩個山頭之間的山谷，這裡地勢很低，前後都是高聳入雲的山峰，兩側藤蘿纏繞，林密草豐，荒無人跡，在深山老林裡，這種環境總讓人感覺不安。

一個多小時後，徐青山和老羊倌都回來了。

宋長江一直睡得很沉，看不出有要醒來的跡象。

白素看著有些擔心，偷偷問老羊倌他會不會有事。

老羊倌呵呵一笑，讓白素放心，這些蜂毒還不至於致命，只要睡上一覺，基本上就能緩過來了，用不著擔心，宋長江身體素質好，這點兒傷根本不算回事。

白素這才放下心來，猛然間想到徐青山給自己抹的那些藥粉，臉上一紅，還是忍不住問老羊倌那是什麼東西，那些大胡蜂好像很害怕似的。

老羊倌滿不在乎地笑了笑，告訴白素，那藥粉就是山裡的土方子，自己經常上山，也就準備了一些，這方子山裡人都會配製，就是驅蚊草什麼的。

白素一聽就知道老羊倌有心隱瞞，也就不便多問了。

晚上大家生起了火，燒開了一鍋山泉水，做了點兒吃的。

徐青山拍醒了宋長江，勉強地睜開眼睛後，宋長江只喝了口水，什麼也沒有吃，一翻身，靠著大樹又昏睡過去了。

徐青山湊到老羊倌近前，偷偷地問道：「師傅，昨天夜裡那夜貓子衝著咱們直笑，是不是說咱這兒要死人啊？」

老羊倌沒有吱聲，徐青山也就不再多問了。

白素的身上已經漸漸消腫了，氣色也好了不少，心情有所好轉，只是一看到仍然昏睡不醒的宋長江，眼神裡又掠過了一絲擔憂。

徐青山雖然和宋長江認識的時間不長，但也算是秉性相投，這幾天兩個人相處得也不錯，看著他閉著眼睛在一旁昏睡，心裡也有些擔心。

徐青山無意中手一插褲兜，突然發現不知什麼時候褲兜裡竟然多了個紙團，心裡咯噔一下，左右看了看，沒敢吱聲，借著出去解手的機會才偷偷地掏出來看了看，只見紙團上歪歪扭扭地寫了四個字——小心江子！

徐青山的腦袋登時就嗡了一聲，仔細地回憶了一下，實在想不起來這紙團，到底是什麼時候進到自己的褲兜裡。

難道是師傅發現了什麼事，又沒有機會說，這才暗中提醒我？想來想去，也只有這種可能最靠譜。如果真是師傅塞的，那為什麼要讓我「小心江子」呢？難道看我和他走得太近，師傅有些擔心？

徐青山滿腦袋的問號，想了半天也沒有想出個究竟，剛要順手把紙團扔掉，但他想了想，又塞回了褲兜裡。裝作若無其事的樣子回來後，湊到老羊倌的旁邊，一邊往火堆上添柴，一邊和老羊倌閒聊，聊的也都是以前一些雞毛蒜皮的小事，白素聽著聽著也插不上嘴，就識趣地躲到一邊看星星去了。

徐青山這才偷偷地把紙團塞到了老羊倌的手上。

山谷裡的溫度比山頂上要暖和不少，只是地勢太低，有些悶不透風，加上眼前這堆篝火，更是熱浪襲人。但是沒有這堆火又過於危險，深山老林裡的，難免會有些毒蛇猛獸，待在火光旁邊起碼還是安全的。

夜幕漸深，漸漸地沒人吱聲了，躺的躺、臥的臥，都閉著眼睛想著自己的心事。

徐青山一直守著這堆篝火，也沒有睡意，時不時地添些木柴。火光跳躍，忽明忽暗，影子長長地拖在地上，有些不安地抖動著。不知道過了多久，他也靠著樹幹睡著了。

迷迷糊糊之中，徐青山看到了隔著火堆站著一位白衣老者，這老人家鬚髮皆白，連眼仁都是白的，正直愣愣地盯著自己。

徐青山嚇得渾身一抖，立刻就坐了起來，瞪大了眼睛再看看，哪裡有什麼白衣老頭，剛才好像是在做夢。他晃了晃腦袋，感覺好像就是打了個盹，竟然做了這麼一個稀裡糊塗的夢，心裡不禁有些不安。

他抬起頭來，這才發現火都要沒了，趕緊又往火堆裡添了點木柴。火光立時一暗，火苗被壓了下去，周圍一下子就暗了下來，不過很快，火苗撲閃了幾下，發出一陣劈裡啪啦的爆響，火勢又旺了起來。

就在這時，宋長江突然翻身坐了起來，只見他左右活動活動身子，晃了晃腦袋，轉過頭來看了一眼徐青山。

徐青山見他醒來了，頓時喜出望外，見其他人都在睡著，也沒敢出聲招呼，只朝他擺了擺手，讓他過來。

宋長江好像是睡覺睡得腿麻了，兩條腿很彆扭地走了幾步，磕磕絆絆，歪歪扭扭地總算是走了過來。他耷拉著腦袋，精神很是頹廢，好像身體虛弱到了極點，看了看跳躍的火舌，下意識地又往後退了一步。

徐青山以為宋長江被火給烤到了，輕輕呵呵一笑，壓低聲音問他是不是餓了，隨手從包裡掏出火腿腸和麵包扔給了他。

宋長江也沒吱聲，接過來後頭也不抬，一陣狼吞虎嚥。

他好像幾天沒有吃東西了似的，悶頭一個勁兒地吃。徐青山遞過去一瓶水，讓他喝點水往下順順。宋長江伸手接了過去，這才抬頭又看了一眼徐青山，揚頭就灌了一大口水。

徐青山搖頭一陣苦笑，突然間渾身一激靈，剛才宋長江的眼神怎麼這麼奇怪？好像哪裡有些不對勁？

他仔細回想了一下，腦袋頓時嗡了一聲，宋長江剛才看他時，好像眼睛全是白眼仁，沒有黑眼珠！徐青山頓時覺得頭皮發麻，背後直冒涼氣，壯著膽子輕聲地問宋長江：「江哥？你沒事吧？」

宋長江沒回話，他把最後一口火腿腸咽了下去，然後詭異地晃了晃脖子，慢慢地又抬起頭來，看了一眼徐青山，搖了搖頭。

借著火光，徐青山看得是真真切切的，果然，宋長江的眼睛裡全是白眼仁，根本就沒有黑眼珠，就那麼空洞洞地盯著他。

第22章 蛇霧

徐青山猛然想起了剛才所做的夢，嚇得脫口就喊了出來，手指著宋長江結結巴巴地吼道：「你……你……你是誰！」

宋長江空洞洞的眼神盯著徐青山，脖子詭異地左右晃了晃，嘴角一揚，竟然笑了。臉上的表情一點都沒有變，只是嘴角突兀地上揚，讓人寒到骨子裡。

徐青山一怔，還沒等反應過來，脖子就被宋長江的兩隻大手給死死地掐住了。

這兩隻手就像是鐵鉗子一樣越掐越緊，徐青山感覺自己的脖子就像是折了似的，一點兒知覺都沒有了。他憋得滿臉通紅，一口氣也喘不上來，兩隻手本能地抓住宋長江的胳膊，拼了命地往外拉。可是宋長江的那兩隻大手就像焊在了他的脖子上一樣，連一分一毫都沒有拉動。兩人力量相差懸殊，短短幾秒鐘，徐青山就感覺眼前發黑，頭昏目眩，兩隻胳膊再也使不上勁兒了。

徐青山的那一聲驚叫，老羊倌當即就被驚醒了，一翻身就坐了起來。四下看了看，這才發現宋長江的一雙大手已經掐住了徐青山的脖子，一時之間也沒弄明白是怎麼回事，不過眼看著徐青山手刨腳蹬，就知道肯定出了事了，顧不上別的，趕緊抽出管插就衝了過去。

還沒等他衝到近前，眼角的餘光就瞥見一道黑影斜刺裡「嗖」地一下就竄了過來，像隻狸貓一樣一閃而逝，眨眼間就到了宋長江身後，兩手一伸，分別攥住宋長江的兩隻手腕子，竟然硬生生地把他的兩隻胳膊給掰開了。

老羊倌瞅準了機會，伸手趕緊扯住徐青山身上的褲腰帶，往自己這邊用力一拽，總算把他給拉了過來。

徐青山眼看著氣都沒了，身體根本就使不上一點勁兒，老羊倌這麼一拽，他腳下立時不穩，往後連退了好幾步，一個趔趄就栽倒在了地上。而後兩隻手捂著脖子，全身佝僂在一起，劇烈地咳嗽了起來，總算是緩過了這口氣。

老羊倌此時也顧不上徐青山，趕緊拉好架式，舉起管插，仔細地打量剛剛一下衝出來的人，頓時有些目瞪口呆，他做夢也沒想到，那道黑影竟然是一直悶聲不響的周伍！

宋長江此時臉色鐵青，雙眼無瞳，牙關緊咬，兩隻胳膊的肌肉高高地鼓起，一看就知道是卯足了勁想要掙脫開周伍的束縛，而周伍卻死死地攥著他的兩隻手腕，一聲也不敢吭，顯然也是極為吃力，支持不了多久。但是，就這一瞬間的爆發力來看，明顯周伍要比宋長江的力氣大了許多。

老羊倌此時也顧不上想別的，一看宋長江的這副樣子，就知道是中邪了。他趕緊伸手從包裡掏出一卷紅繩，手上一抖，在空中繫了個結，直接就把宋長江的脖子給套上了。然後輕輕一拉，勒住了宋長江的脖子，手上又一抖，在宋長江的左手上繞了一圈，把繩子從背後穿過來，又把他右手給套了進去，接著從胯下掏出來，最後在腰上纏了一圈，然後朝周伍點了點頭，示意可以鬆手了。

周伍鬆開雙手，趕緊往後退了一步，胸口起伏，直喘粗氣，看來也是累得夠嗆了。

宋長江的胳膊突然恢復了自由，兩隻胳膊往胸前一合，就要掙開身上的繩子。只是沒想到，剛掙了一下身子就是一頓，全身的關節像是凍結了一樣，回不了彎，身子左右扭了幾下，一步也邁不動了，直愣愣地站在那裡。

老羊倌把手上的紅繩挽了一個扣，又從包裡抽出一支香，點燃後，穿過紅繩的扣眼，直接插在了地上。

白素也被剛才的動靜驚醒了，從帳篷裡鑽出來後，正瞧見老羊倌的這一套動作，頓時目瞪口呆，不知道眼前到底出了什麼狀況。

老羊倌忙完這些之後，才看了看周伍心裡驚駭不已。沒想到周伍的動作竟然這麼快，他看上去身子骨單薄，不知道剛才的力氣是從哪兒來的，竟然把宋長江這麼一個五大三粗的漢子給收拾得動彈不得，真是真人不露相，就剛才那一手，眼下的這幾個人恐怕誰也做不到。

老羊倌客氣地朝著周伍一抱拳，說道：「爺們，先替小山子說聲謝謝了，真沒想到你有這麼好的身手！」

周伍抬眼看了看老羊倌，微微地點了點頭，話鋒一轉，指著宋長江反問老羊倌：「他這是怎麼了，怎麼像是中邪了？」

老羊倌見周伍有意迴避剛才的話題，訕訕地笑了笑，點了點頭說：「估計是中了蜂毒後，體虛氣弱，被畜生給迷住了，也不知道是不是畜生，不過應該就躲在不遠。」

白素聽到這裡，驚恐地左右看了看，戰戰兢兢地走過來，問老羊倌一句：「被什麼迷住了？是鬼上身嗎？」

老羊倌搖了搖頭，告訴白素，不是鬼上身，就是被一些有道行的畜生給迷了心竅，和黃鼠狼迷惑人差不多，看他剛才的情形，迷他的東西應該個頭不小。一定得在一炷香的時間內找到牠，否則牠就跑了。

白素畢竟是個姑娘，接受正規的教育，對這些玄之又玄的事情，根本就是一無所知，聽老羊倌說了半天，也不明白這到底是怎麼回事，但是看他說得有板有眼，也不由得有些半信半疑了。用手指了指宋長江問老羊倌，要是找不到的話，那他會不會有事。

老羊倌看了一眼直淌口水的宋長江，告訴白素說他身強體壯，應該沒有什麼大事。

白素這才放下心來，緊張地看了看老羊倌和周伍，不知道接下來要幹什麼。

老羊倌朝著周伍笑了笑：「爺們，一會兒你還得幫個忙，幫我注意看一下周圍的動靜，千萬要小心！」

說完又看了一眼白素，再轉回頭又囑咐周伍，萬一要是有什麼意外，讓他照顧白素，畢竟白素是女的屬陰性體質，最容易招惹這些東西，別再出什麼意外。

周伍點了點頭，看了白素一眼，也沒有說話。

白素很想告訴老羊倌，她不用別人照顧，自己可以應付。可是一看到宋長江的樣子，心裡又莫名地有些害怕，畢竟對付的不是什麼正常的東西，這些邪門歪道，她心裡還真是有點沒底，張了幾次嘴，最後還是什麼也沒有說。

徐青山這時也稍為緩了過來，看著宋長江直晃腦袋，實在是不敢相信這個兄弟，會突然變成這一副模樣。

老羊倌把紅繩又從香上取了下來，告訴徐青山拉緊繩子，要一點一點地收緊，力量不能太猛，要用力均勻，萬一這細繩拉斷了，那就前功盡棄了。

徐青山不敢大意，接過紅繩，平復了一下呼吸，朝老羊倌點了點頭，示意可以開始了。

老羊倌緊握管插，和周伍背靠背，各自盯著不同的方向，朝徐青山比劃了一個手勢，示意他開始拉繩。

徐青山緊張得出了一手心的汗，他怕繩子脫手，把繩端的扣眼套在了小手指上，然後開始一點一點地拉緊繩子。慢慢地，繩子開始繃緊，宋長江的眼睛也睜得越來越大，嘴裡含混不清地發出「咔、咔」的怪聲，聽得所有人都頭皮發麻，渾身難受。

眼看著繩子都快要繃斷了，突然就聽到「咔嚓」一聲，天震地駭，所有人的目光都投向了宋長江先前靠著睡覺的那棵古樹上。

這棵古樹遮天蔽日，直插雲霄，估計活了幾百年，直徑一公尺多粗的樹幹，竟然毫無預兆地從中間裂開一道縫隙。

眾人見了，個個都是瞠目結舌，一言不發。

這時只見縫隙中冒出一股灰白色的煙霧，誰也不知道裡面到底有什麼東西，所有人屏氣懾息，大氣都不敢出。

半天過後，從樹幹的縫隙裡伸出一個腦袋，雪白雪白的尖腦袋搖來搖去，好像極為煩躁，小心地探了一下頭，又趕緊縮了回去。

白素嚇得膽戰心寒，壓低聲音問老羊倌：「老爺子，是什麼東西？」

老羊倌有點兒拿捏不準，緩緩地說道：「好像是條白蛇，速度太快，沒看清楚。」

話音剛落，樹幹那邊又有了動靜，估計是徐青山這邊的繩子越拉越緊，牠也有些扛不住了，粗壯的樹幹又發出一聲痛苦的呻吟，裂縫又擴大了一圈，從裡面撲通一聲，掉出來了一個東西。

這東西身長一公尺左右，白如凝脂，夜色中反射著寒光，剛一落地，就蜷在了一起。只見牠前端稍尖，後端稍圓，靠近頭部附近明顯稍粗一些，有碗口大小，餘下的部分也有手腕粗細。全身收縮，在地上不安地拱來拱去，看得這幾個人頭皮發乍，汗毛倒豎。

扭了扭之後，牠一收一縮往前爬了幾步，尖尖的腦袋高高揚起，從口中吐出一股灰煙，眨眼間，牠的周圍形成了一層灰濛濛的霧氣，隱隱地還傳出來一股香味。

老羊倌提鼻子一聞，臉色驟變，趕緊大喊：「撤！趕緊往後退，別碰那股煙！」

第23章

雪地龍

說話的工夫，灰霧已經彌漫開來，而且越來越濃，隱隱約約地只能見到那棵大樹大致的輪廓，遠處的山影已經朦朦朧朧，霧氣像一團團棉花似的，擠滿了這片區域，正以肉眼可辨的速度不斷向四周蔓延，一點點吞噬著周圍的花草樹木。

老羊倌喊完話後折身就跑，幾步就竄到了徐青山近前，從他手裡接過紅繩，挽了個扣，直接套在了那半截香頭上，之後拉著他往後退。

跑出去足有十幾公尺，老羊倌這才收住腳步，回頭看了一眼那片灰霧，也顧不上說話，趕緊從包裡掏出個塑膠袋，抓了一把千尺雪，馬上彎腰後退，橫著畫了一道長線，接著伸手掏出打火機就給點著了，「滋滋」一陣爆響過後，一道四公尺多長的煙牆拔地而立，擋在了眾人的面前。

變魔術？白素驚訝到了極點，一時有點兒看傻了。

徐青山突然想起宋長江還在前面，趕緊問老羊倌：「江子沒跑出來，會不會有事啊？」

老羊倌回頭看了看，告訴這幾個人，都站在這裡別亂動，千萬別跑出去，無論聽到什麼動靜，都得在這兒等著，如果他十分鐘內還沒有回來，就不要等他了，趕緊往回跑，回家該幹啥就幹啥去，別再管這檔事了。

徐青山一聽當時就急了，趕緊問老羊倌到底是怎麼回事。

老羊倌往煙牆外看了一眼，冷笑了一聲：「那玩意兒不是什麼白蛇，是雪地龍！」

白素一聽，當時就驚呼了起來，看著老羊倌，皺著眉頭：「老爺子，您……您是說，剛才那條白蛇是蚯蚓？是我們要找的雪地龍？」

老羊倌點了點頭：「是福不是禍，是禍躲不過。再怎麼著，也得把江子拉回來，時間不多了，一會兒再說吧！」說音剛落，一個箭步就衝過了那道煙牆。

徐青山也急紅了眼，跟著就要過去，不料被人拉住了，回頭一看竟是周伍。他朝著周伍一瞪眼：「大丈夫寧死陣前，不死陣後。我不能不管我師傅！」

周伍抬眼看了看他，只淡淡地說：「你過去也沒用，在這兒等著吧。」

徐青山本想辯解幾句，但是冷靜下來一想，人家說得也沒錯，他過去也只能是添亂，於是無奈地歎了口氣，跳著腳盯著對面，心急如焚。

老羊倌越過那道煙牆之後，就勢一個前滾翻，把身上帶過來的煙氣全都給甩淨了，這才喘了一口氣。

他睜開眼睛看了看，就見那支香眼瞅著就要燒沒了，看樣子未必能撐過十分鐘，心裡也是一陣焦急。更讓人頭疼的是那隻雪地龍吐出來的灰霧越來越濃，已經擴散出很大一片範圍，霧裡的一切都是影影綽綽的，看也看不清楚。

好在這裡沒有風，否則，一陣小風吹來，估計小命也就夠嗆了。

老羊倌看了看像是丟了魂的宋長江，搖了搖頭，把心一橫，決定豁出去了。

雖然和他相處不長，好歹也不能眼看著大活人就這樣把命丟了，剛才為了安慰白素才說他不會有事，實際上，如果不在一炷香的時間內，把附在他身上的孽魂拔掉，這人也就算廢了，就算是最終能保住條命，肯定也是瘋瘋癲癲，這一輩子也就完了。

老羊倌蹲在地上，睜大眼睛，瞪著地面，一寸一寸地掃視著，表情極為專注。

足足過去了五分鐘，他終於在地上找到了一個螞蟻洞，看了看洞口的大小，而後抽出管插開始掘土。

這裡平時根本沒有人煙，地面都是由落葉和荒草腐爛後形成的腐殖土，這種土顆粒大，土質疏鬆，挖起來根本不用費力。管插連掘了幾下，就掀翻了螞蟻的老巢。一大堆熙熙攘攘的黑螞蟻被翻了出來，還有雪白的螞蟻卵，像是一碗大米飯倒在了地上，白的卵，黑的螞蟻，攪合在一起，看著讓人頭皮都發麻。

成千上萬的螞蟻密密麻麻，東撞一頭，西撞一頭，顯然是不知道究竟發生了什麼事，一時亂了手腳，四處亂爬。

老羊倌趕緊用手一捧，連土帶螞蟻全都捧在了手上，跑到宋長江面前，把手裡的土一把就糊在了他的胸口上。一隻手摁住之後，另一隻手從隨身的鹿皮包裡掏出一隻小瓶子，扭開瓶蓋後，趕緊把瓶子裡裝的東西在宋長江胸前的衣服上抹了起來。

這次出來，老羊倌做好了磨洋工，拖時間的打算，根本就沒想用力去找那三味藥，但是為了以防萬一，也還是作好了相應的準備。

小瓶子裡裝的其實就是些紅糖水，裡面混了一些香油。螞蟻是靠氣味覓食的，對香味十分敏感，這東西抹到宋長江身上後，老羊倌手上的螞蟻就開始主動地爬到宋長江的身上。

老羊倌又連捧了好幾把螞蟻土，最後宋長江的胸前就像是貼了塊狗皮膏藥一樣，黑乎乎的，密密麻麻地爬了足有碗口大小的一團螞蟻，任誰看了都禁不住頭皮發麻。

「牽羊」這一行雖說神祕莫測，但是實際上並沒有道術畫符、大仙跳神那麼玄，說白了，只是利用世間萬物相生相剋的原理。

眼前的這些螞蟻，平時並不起眼，一指頭就能撚死一堆，但是牠們恰恰就是蚯蚓的天敵。這些螞蟻不斷地吃著宋長江胸口的香油和紅糖水，雖然沒咬到宋長江，但是這種氣場對那隻雪地龍的震懾是無比巨大的。

宋長江始終呆呆愣愣地流著口水，眼睛空洞地盯著前方。

不過，他的表情很快就發生了變化，開始不停地打哆嗦，最後幾乎抖成了一團，就見他大嘴一張，「哇」地一聲，吐出一大堆白花花的東西。

老羊倌好像早就預料到了一樣，顧不上噁心，趕緊從包裡掏出手電筒，調到強光模式，對準了那堆嘔吐物照了下去。強光照射之下，看得真真切切，在這堆嘔吐物裡面，竟然還有一條一寸來長的白蟲子，正扭動著肥胖光滑的身子，在那堆嘔吐物裡上下鑽個不停。

這條白蟲子無頭無腳，全身光滑，只有圓珠筆的筆芯粗細，像是一條白色的小蚯蚓。在手電筒的照射下，好像十分煩躁，不停地拱來拱去，想要躲藏起來。動彈了沒幾下之後，牠的身體變得越來越癟，片刻之後，就只剩下了一張空皮。

老羊倌抬眼看了看不遠處的那隻雪地龍，雖然隔著灰霧，看不太清楚，但是明顯感覺這層灰霧變淡了一些。眼下救人要緊，老羊倌也顧不上別的，眼瞅著香頭就要熄滅了，他趕緊彎腰把那根紅線抓了起來，用力一抻，紅繩應聲而斷。

就在紅繩扯斷的同時，一直在噴雲吐霧的雪地龍，突然身體一縮，瞬間一彈，一公尺多長肉滾滾的身子竟然淩空越起，眨眼間就落到了老羊倌的背後，揚頭噴出了一股濃煙。

老羊倌感覺到背後一股惡風襲來，也沒回頭，只把面前的宋長江使勁往前一推，自己也順勢撲了過去。

宋長江懵懵懂懂，剛剛恢復了一些意識，老羊倌這用力一推，他一個趔趄，本能地順勢往前一滾，和老羊倌齊刷刷地撲倒在了地上，那股灰煙總算是沒有噴到他們。

老羊倌抹了一把額頭上的冷汗，招呼宋長江快跑。

宋長江剛剛恢復意識，根本就不知道是怎麼回事，抬頭看了看不遠處的那道煙牆，回頭又張望了一眼，而後揉了揉眼睛，緊張地問老羊倌：「老……老爺子，這是啥東西啊？」

老羊倌根本沒工夫搭理他，爬起來，拉著他的胳膊就往煙牆的方向跑。

宋長江一怔，也意識到肯定是情況不妙，甩開大步三下兩下就超過了老羊倌，反而拉著老羊倌玩兒了命地往前跑。

那條雪地龍一衝之下，好像也費了不少的力氣，顯得有些委靡了。

就在老羊倌和宋長江穿過煙牆的那一剎那，牠在原地來回拱了幾下，突然身子一伸，身長暴漲，橫著打起滾來，三滾兩滾就滾入了旁邊的草叢之中。

第24章

紙團

宋長江拖著老羊倌一頭就撞進了煙牆裡，閉著眼睛衝出好幾公尺遠，聽到徐青山等人的喊聲才停了下來，回頭睜開眼睛一看大家都在，有些愣住了。不知道到底發生了什麼事，用手抹了一把額頭上的汗水，把大家挨個兒瞅了一遍。

徐青山見老羊倌回來了，一顆懸著的心總算是放了下來，趕緊走過去遞了一瓶水，關心地問老羊倌有沒有事。

老羊倌仰脖灌了兩口水，這才長出了一口氣，牙縫裡擠出兩個字：「好險！」

就在這時，白素突然尖叫了一聲，嚇得眾人一激靈，大家環視四周，嚴陣以待。

白素自己也被眾人的反應嚇了一跳，有些不好意思地指著宋長江的胸前，皺著眉頭嚅嚅地說道：「螞……螞蟻。」

宋長江低頭看了看，這才發現自己胸前貼著一大群螞蟻，咧了咧嘴，趕緊把背心脫下來甩到了一旁。光著膀子忙活了一陣，他總算是把身上的螞蟻給弄乾淨了，這才問眾人到底出了什麼事。

徐青山搖頭歎了口氣：「江子，要說你才是最有福的，鬧了半天，你是啥也不知道，沒把我們急死，我這一條小命差點沒被你給掐死！」

接著，他就把剛才發生的事情，原原本本地說了一遍。

宋長江聽說自己被雪地龍給迷住了，還要掐死徐青山，一副打死也不相信的表情。不過當他看到徐青山脖子上的青紫淤痕時，吧嗒了幾下嘴，撓了撓腦袋，也不得不相信了。

他拍了拍徐青山的肩膀道：「好兄弟，讓你受罪了！你放心，這虧咱不能白吃，都給記在那雪地龍頭上！」

徐青山一聽，豪氣萬丈，也拍了拍宋長江的肩膀：「肩膀頭齊是弟兄，咱都是紅臉漢子，把賬全記在那條大蛇上，上天追到靈霄殿，下地趕到鬼門關，哥哥你要是砍一刀，我就補一腳，管他什麼龍不龍的，咱哥倆談笑間就給牠拌了！」

宋長江胸脯一挺：「張飛吃豆芽，小菜一碟！就咱這身手，一刀下去，牠準跑不了！」

他邊說邊把手指節攥得嘎巴嘎巴直響，看那意思，恨不得馬上就衝了出去。

老羊倌瞪了徐青山一眼，生怕宋長江再惹出麻煩來，趕緊告訴他，那雪地龍跑不了，君子報仇，十年不晚，也不在乎這一天半天的。這種東西晚上不好對付，但是等天亮了，也是啥能耐都沒有，到時候咱做好套，等著牠自己往裡鑽就行。說到這兒，拍了拍宋長江，讓他別聽小山子在那兒胡謅，那小子是看熱鬧不嫌事大，順風接屁。

白素有點兒聽不下去了，輕輕地咳嗽了一下，轉移了話題，問老羊倌接下來該怎麼辦。

老羊倌抬頭看了看天，哼了一聲，說道：「這天也快亮了，大家就先將就一會兒，等天亮了再說吧！那畜生道行不低，也得防著點兒，大家都湊近點兒，輪流站崗吧！你們先睡，我先來看著！」

老羊倌這麼一說，白素就搖了搖頭，讓他先歇著，她一直也沒出什麼力，有些過意不去，還是她來值夜吧。

宋長江一聽，擺了擺手：「都別爭了，還是我來吧，要不是因為我，大家也不能累這樣。我這身子骨不是吹，想當年，抗洪搶險，三天三夜沒合過眼，啥事沒有。你們都睡吧，快點兒都睡吧！」

說完後，連推帶搡，讓眾人都去睡覺。

就在這時，一直沒有出聲的周伍說話了，看了一眼宋長江：「還是我來吧，你身體也需要恢復一下，明天不是還要『屠龍』嘛，攢點力氣吧！」

宋長江一見是周伍說話，心裡就不舒服，總感覺這話裡帶刺，聽著彆扭，就要還嘴。

徐青山拉了他一把，朝周伍點了點頭，說聲，「辛苦了！」趕緊把他給摁在了地上，壓低聲音告訴他，千萬別招惹周伍，那小子深藏不露，不好惹。

宋長江有些懷疑地看了看自己的胳膊，又瞥了一眼周伍，見周伍戴著帽子，耷拉著腦袋，靠在樹上一動不動，好像是睡著了，一股火就直撞腦門，心說，你自己爭著要值夜，又不是別人求你，你倒還先睡著了，沒有那金剛鑽就別攬瓷器活，沒有那彎彎肚子，吃什麼鐮刀頭，這不是玩兒人呢嗎？想到這裡雙手一撐地，就要起來。

徐青山使勁把他壓住，低聲道：「你這人也太死心眼兒了，那值夜又不是啥好差事，你和他爭那個幹啥，吃飽了撐的啊？咱哥倆私底下說，那小子可有把力氣，你還真未必能整過他，犯不上和他鬥氣。」

宋長江撇了撇嘴，哼了一聲：「也不能這麼說，那是他偷著下手。真要是真刀實槍，就他那小體格，我一巴掌能把他扇出尿來！」

徐青山偷偷直笑，拍了拍宋長江，總算是把他給勸住了。

雖然每個人都疲憊到了頂點，但是出了剛才這種事，誰也睡不踏實，都是睡一陣兒，醒一陣兒，也就是打了幾個盹，天邊就露出了魚肚白，山頭、樹林漸漸地清晰了起來。

白素醒得很早，等這些人起來時，她已經把山泉水燒開，做了些餅乾糊。

吃完飯後，老羊倌讓白素和周伍去砍些藤條或是樹枝，長度不能小於一公尺，最少也得百八十根，至於做什麼用並沒有說。

白素看了一眼周伍，周伍從地上慢慢地站了起來，也沒吭聲，徑直往山谷中走去。

宋長江估計是蜂毒影響，天不亮時就開始拉肚子，不到半個小時就得跑一趟。剛開始他也沒當回事，以為是吃了什麼不乾淨的東西，連拉了幾回，才感覺不對，趕緊吃了幾片藥，總算是止住了瀉。

老羊倌看了看宋長江，見他明顯打蔫兒，就讓他留守，幫大家看著東西。回頭叫過徐青山，讓他和自己去準備別的東西。

爺倆沿著山谷，走出了一段距離之後，老羊倌這才問徐青山怎麼知道宋長江要出事。

徐青山一愣，看了看老羊倌，顯然沒明白他的意思。

老羊倌瞅了瞅徐青山，從褲兜裡掏出那個紙團問徐青山：「這不是你給我的嗎？」

徐青山接過紙團看了看，一臉詫異地問：「師傅，這不是你先塞給我的嗎？難道紙團上的字，不是你寫的？」

老羊倌聽徐青山這麼一說，當時就愣住了，把紙團重新打開看了看，吧嗒了兩下嘴，這才告訴徐青山，這根本就不是他寫的。

徐青山這時候也傻了，看來寫字的另有其人，那又會是誰呢？是誰會提醒他們要「小心江子」呢？

第一個可以排除的就是宋長江，這紙團肯定不是他自己寫的。

那就是說，這個人除了白素、就是周伍！

白素和宋長江是一條船上的，輕易不會內訌，估計不會是她寫的。不過周伍整天死氣沉沉的，對什麼都漠不關心，也不太像。可是除了這兩個人，徐青山這幾天根本就沒有接觸過其他人，真是活見鬼了。

如果在白素和周伍中間二選一，徐青山還是覺得周伍的嫌疑最大。平時宋長江就和他有點不對付，這小子暗地裡下絆子也不是說不可能，但是為什麼要給我塞紙團呢？下套都在背後，使絆子也都在暗中，不可能傻到逢人就說，見人就講。難道是周伍發現了宋長江有什麼問題？見我這幾天和他走得近乎，才好意提醒我？

突然，徐青山想起了昨晚宋長江中邪的事，心裡就是一驚，這紙團出現在宋長江中邪之前，難道紙團上說的「小心江子」是說中邪這事？真要是這樣，那這事還真就不簡單了。

徐青山心裡一大堆的疑問，腦袋都要憋炸了，雖然和老羊倌商量了老半天，可最後也沒弄出個什麼結果來。

老羊倌把紙團撕碎後小心地用土埋上了，踩了兩腳後，一邊往前走一邊告訴徐青山，先別管寫紙條的人到底是出於啥目的，看來以後啥事都得留個心眼。雖然宋長江五大三粗的，看著好像沒啥心機，但是人心隔肚皮，啥事也別太大意了。該說的說，不該說的就打馬虎眼，一問三不知，多留個心眼兒，只有好處沒壞處。

徐青山點了點頭，歎了一口氣，真沒想到，就這五個人，一個巴掌都能數得過來，可這裡面的事，怎會這麼複雜呢……

第25章

摺天荒

白素和周伍沿著山谷一邊走一邊留意著兩側的崖壁，在野草遍地的山谷裡，要找老羊倌說的那麼長的樹枝藤條也不是件容易的事。兩個人走了老遠，終於在緊貼著崖壁的一塊窪林裡發現了一大片胡枝子。

胡枝子屬落葉灌木，有一人多高，分枝很多，細長柔韌，長短剛好合老羊倌的需要。

白素用力揮刀不斷地切割著枝條，瞥了一眼默不作聲的周伍，笑了笑：「周伍，江子那人其實沒有什麼壞心眼兒，人很直性，他說的話你別往心裡去。其實他也不是針對你，他那個人就那樣，熟悉了就好了。」

周伍動作一滯，看了看白素，點了點頭，什麼也沒說，接著忙活。

白素輕輕地歎了口氣，自言自語道：「真沒想到剛上山就碰到這麼多事，要不是老爺子經驗豐富，恐怕還真是凶多吉少。」

周伍頭也不抬，冷冷地說：「山裡不比別處，兇險異常，只要處處多加提防，其實也沒有什麼可怕的。」

白素點了點頭，若有所思，便問周伍以前是做什麼的，好像對山裡的東西特別熟悉，和他一比，自己簡直太遜色了，什麼事情都幫不上忙，搞不好還會拖累大家。

周伍笑了笑，輕描淡寫地告訴白素，他從小就在山裡長大，所以對山裡的環境很適應。山裡人很少，他不喜歡和人交流，毒蛇猛獸雖然可怕，但是都有牠們自己的固定規律，不像人，人更可怕。

這幾句話，讓白素一時為之語塞，不知道應該再說些什麼。

山谷中沒有什麼大樹遮蔭，火傘高張，一絲風也沒有，工夫不大，白素就出了一身的汗。她抬頭看了看頭頂的太陽，無奈地歎了口氣，瞥了一眼周伍。這麼大熱的天，周伍仍然穿著長袖的帽衫，她看著都熱，但奇怪的是，周伍竟然一滴汗都沒有出，實在是難以理解。

兩人手腳麻利，一會兒工夫就砍了一大堆，估計差不多夠用了，白素就掏出繩子，和周伍一起把這些枝條捆在了一起。周伍伸手抄起繩子，單手把這捆枝條提起來背在了身後，朝著白素笑了笑，徑直往回走去。

和這種悶葫蘆在一起實在是有些壓抑，根本就調動不起興致，反而自己的心情也隨之有些消沉。白素默不作聲地在後面緊緊跟著，也懶得再說什麼話了。

老羊倌拉著徐青山在草叢中穿來穿去，把徐青山累得順臉淌汗，就問他到底要找什麼？老羊倌低頭四處踅摸，一邊找著一邊告訴徐青山，要找一種叫「長蟲芯子」的草，用這草才能引出雪地龍來。看著徐青山一頭霧水的樣子，老羊倌一邊描述著、一邊給他比劃著這草的樣子。

長蟲芯子在東北很常見，樣子和韭菜差不多，山溝荒野裡都能找到，全草有毒，其中葉子的毒性最大，人要是吃了會腳腫得連鞋都穿不上。這種草一般長在墳頭或是動物的腐屍旁，都是陰氣很重的地方，七月開花，八月結果，眼下正是它結果的季節，也是毒性最烈的時候。

徐青山若有所思地點了點頭，隨即吧嗒了兩下嘴：「師傅，你這是要來真格的啊？」

老羊倌哼了一聲：「這傢伙也算是撞咱槍口上來了，本來尋思能拖就拖，既然送上門來了，咱也不能錯過。拿人家錢了，咋也得比劃兩下子，咱爺們要是不露上一手，背地裡也讓人家笑話咱們。再說，昨晚上那一下子，估計牠也是元氣大傷，沒啥能耐了。」

徐青山不住地點頭，看來薑還是老的辣，一陣馬屁招呼過去，把老羊倌美得鬍子都根根亂顫，嘴一撇告訴徐青山，這就是江湖閱歷。啥事都得隨機應變，見招拆招，咱爺們只要使把勁兒，這一百萬就到了嘴邊了。要想人前顯勝，鼇裡奪尊，就得有兩把刷子，光是嘴好是不行的！

徐青山受了一番教誨，腦袋瓜裡裝的都是鈔票，連連點頭稱是，想都不用想，張口又是一套清新脫俗的馬屁，恭迎了上去。

——等老羊倌和徐青山找到長蟲芯子返回原地時，白素和周伍已經回來多時了。

老羊倌看了看白素他們砍下的枝條，點了點頭，很是滿意。隨後從包裡掏出一團麻繩，接過徐青山手裡剛剛削好的四根木棍，在地上擺了個「井」字形，讓徐青山協助自己，把相互交叉處用麻繩死死繫牢，做好了一個架子。

感覺架子還很牢固後，老羊倌接著又用麻繩來回牽了幾次，做了幾道樑，這才開始往上面編枝條。感覺有點像是編炕蓆，一根壓著一根，勒得很緊，看得眾人都是一頭霧水，不知道他葫蘆裡賣的什麼藥，做這個像擔架一樣的東西到底有什麼用。

老羊倌編了足足有一個小時，最後才大功告成，抹了一把汗，慢慢地直起腰來。他拍了拍手，笑著告訴大家，這東西叫「撂天荒」，對付雪地龍就全靠它了。至於別的，老羊倌也沒過多解釋。

他不說，別人也不好多問，畢竟這也是人家的獨門絕學。

牽羊一術自古以來就是雲裡霧裡，玄之又玄，很多人根本就想不明白其中的名堂，就算是讓你在旁邊看，估計也是看得稀裡糊塗，渾渾噩噩。

所謂術有專攻，每一行總有些壓箱底的東西是不能告訴外人的，就像是現在的商業機密一樣。其實牽羊這行別看都是些山野之事，幹這行的都是些村野之人，但是這些人絕對稱得上是道山學海之士，差不多是上知天文，下知地理，明陰陽，懂八卦，曉奇門，知遁甲。

老羊倌忙活完這些後，抬頭看了看天，見正是午時，也不著急，便張羅著眾人都先坐下，找個涼快地方歇歇腿，吃點東西，先養好精神，等到傍晚就開始「屠龍」。

宋長江一聽，興奮得一蹦三尺來高。他好就好在身子骨有底子，休息了一上午，又生龍活虎，活蹦亂跳了。

宋長江見過不少陣勢，但是這種事還真是第一次見，他興致勃勃地圍著老羊倌跑前跑後，央求老羊倌，等到動手時，一定要叫著他，給他分派個露臉的差事，他這一世的英名不能栽在一條「曲蛇」（東北方言，蚯蚓）上，讓牠給折騰個半死，這口氣實在是順不下去。看宋長江說話那神態，儼然和那雪地龍卯上勁了。

直到下午，太陽西墜，老羊倌這才站了起來，四下看了看，開始圍著頭天晚上雪地龍爬出來的那棵大樹轉起圈來。大樹的樹幹已經裂開了一道一尺來寬的大縫子，經過這一個大熱天，樹皮都有點乾巴了。

老羊倌以這棵樹為起點，一直走到昨天雪地龍逃走的位置，用步子丈量了一下，回頭叫過宋長江在自己腳下站的地方挖個坑，大小要能放下剛才編好的那張撂天荒，坑不用挖太深，一尺就行。

宋長江早就等得不耐煩了，等老羊倌吩咐完後，摩拳擦掌地走了過來，往手心裡吐了口唾沫，輪起膀子就挖了起來。

老羊倌揮手又把白素和徐青山叫過來，把他找到的那些長蟲芯子遞給他們倆，讓他們把草擺在宋長江挖好的坑的四周，擺的時候，草根朝外，草尖朝內，千萬不要擺錯了。

老羊倌在旁邊盯了一陣，見擺得沒有什麼問題了，這才叫來周伍，讓周伍和他一起去收拾昨天火堆燃盡後的灰燼。這活看著簡單，但是弄起來烏煙瘴氣，到處都是浮灰，好不容易才把這些灰都收在了一個塑膠袋子裡。

老羊倌拎著塑膠袋，走到草叢那邊，抓了一把灰就開始往草上揚，一時間，煙塵繚繞，老羊倌免不了弄得灰頭土臉的，他也顧不了那麼多，把滿滿的一袋子灰都揚進了周邊的草叢。撒完灰後，宋長江的坑挖完了，徐青山他們也把草按規則擺好了。

老羊倌檢查了一下，見沒有什麼紕漏，從包裡掏出一瓶朱砂，均勻地撒在了坑裡，這才讓宋長江把編好的那張搭天荒給取了過來，小心地放進了坑裡，弄平之後，把剩下的長蟲芯子都扔在了上面，抬頭看了看天，見太陽還沒下山，滿意地點了點頭。

宋長江在旁邊一邊擦汗一邊有些意外地問老羊倌：「老爺子，這就完事了？」

老羊倌嘿嘿一笑，告訴宋長江，這就行了，就等著牠自投羅網了。

宋長江一聽，嘴一撇，顯然有些不相信，抬眼四下看了看：「老爺子，您的意思是說，那曲蛇會自己爬回來，然後老老實實地爬到咱的蓆子上？這玩笑可有點兒開大了啊，都一天了，那曲蛇早就跑遠了吧？」

老羊倌掃了一圈，見所有人都是一臉疑惑，笑著告訴他們，那雪地龍是至陰之物，白天根本不會動彈，別看牠個頭不小，但是打洞的本事不行，所以牠根本就沒法走遠，肯定是躲在附近以前打好的洞裡。等到過了酉時，日斜西山，陰漸盛，陽漸衰，雪地龍自然就會感應到這裡的長蟲芯子，一定會被吸引過來。

他已經用灰把周圍都揚遍了，氣息混雜，不用擔心牠會跑到別處去，只要大夥有耐心，一定能等到牠爬出來，一旦牠爬到了蓆子上，再想出來可就沒那麼容易了。

第26章 勾魂蟲

就在剛剛，夕陽的餘暉還從樹葉的縫隙中漏進來，灑下一條條燦爛的金光，眨眼之間，太陽就落山了。

黃昏的山谷總會起風，夾帶著濃重的涼意。山峰的陰影，剛好倒壓在谷內，使這裡比山頂要提前一個多小時天黑。山頂上還依稀透著光亮，而這裡已然是一片漆黑，陰影越來越濃，谷中的山石林木漸漸地和夜色混成了一體，影影綽綽地分不清楚了。

看著眼前一切準備妥當之後，老羊倌帶著大家退到了十幾公尺外的山坡上，掩在一堆荒草叢後居高臨下。

除了周伍坐在地上閉著眼睛，手裡撚著一段草莖，一副漠不關心的樣子，看似優閒自得以外，其他人多少都有些惶恐不安。

倒是宋長江對這件事的熱情度極高，估計他這輩子也沒見過這種陣勢，自從上了山坡之後，就蹲在草叢後一動不動，眼神不錯地盯著坡下，生怕錯過一場好戲。

老羊倌靠在一塊山石上吧嗒吧嗒地抽著煙，瞇著眼睛打量了一下這幾個人，笑了笑，讓他們不用那麼緊張，這種事需要的是耐心，要心靜如水，今天雪地龍未必就會過來，也要作好長期的準備。

宋長江聽了之後，苦笑道：「老爺子，您的意思是說，那雪地龍今天還不一定會來，咱就只是在這兒死等是吧？」

老羊倌點了點頭，朝著宋長江笑了笑：「爺們，打魚也不一定下網就能撈到，咱這事也差不多少。現在網下完了，至於啥時魚能進網，那就得聽天由命了。」

宋長江一聽有些洩氣，但想了想的確也是這麼個道理，往下又瞅了一眼後，一屁股坐了下來，告訴徐青山先幫他盯著點兒，他先伸伸腿，直直腰，脖子都抻疼了。

老羊倌看了看錶，讓這幾個人也別都死盯著不放，輪班看著就行，其餘人儘量休息，保持體力。萬一那條雪地龍出來了，一個個腰酸腿麻的更耽誤事。況且那玩意兒不管怎麼說修行也有不少年頭了，多少有點兒靈性，估計不能這麼快就上鉤，還得等上一陣子，等牠自己感覺安全時，才會爬出來。

聽老羊倌這麼說，大家也都紛紛點頭，排好順序後，留下一個人值守，其餘人都各找各自的地方，橫躺豎臥。

宋長江拉著徐青山小聲地閒聊。徐青山聊著聊著就想起了那個紙團，偷瞄了一眼正在望風值守的周伍，心裡多少有些彆扭。如果那個紙團上寫的「小心江子」就是指昨天宋長江突然中邪的事倒還好說，畢竟事情過去了。可萬一說的不是那件事呢？自己怎麼看宋長江都不像是有什麼陰謀詭計的人。

荒郊曠野，風清月皎，蟲鳴蛙叫相互交織在一起，高低起伏，時揚時抑，夜裡聽著倒也有些韻味。

眼瞅著月亮從山背後升起，又慢慢地轉到了頭頂正中。老羊倌慢慢地睜開眼睛，看了看錶，已經夜裡十點多了，正是亥時。

亥時是一天的最後一個時辰，陰氣極盛，陽氣極弱。老羊倌不敢大意，慢慢地站起身來，看了一眼正在值守的徐青山，躡手躡腳地走了過去。

徐青山聽到動靜，回頭見是老羊倌過來了，點了點頭，示意坡下並沒有什麼動靜。

老羊倌扒開草叢，伸脖子看了一眼，見旁人都在打盹，也沒說話，打了個手勢，讓徐青山去休息，他來盯一會兒。

徐青山不願意讓老羊倌熬夜，晃了晃腦袋，說他還有精神。

就在爺倆相互謙讓的這工夫，坡下不遠的空中竟然飄來一點亮光，能有黃豆粒大小，閃著紫色的螢光，夜空中很是扎眼，突然就停在半空中，懸浮不動了。

徐青山大吃一驚，不知道這是什麼東西。很明顯，那螢光是某種飛行的昆蟲發出來的，但是肯定不是螢火蟲。一是螢火蟲單飛的很少，大多成群結隊；二是螢火蟲發出的光一般都是黃色、紅色或是綠色，而眼前卻是紫光；再個，看個頭也明顯比螢火蟲大多了。

老羊倌趕緊把徐青山的腦袋往下摁了摁，生怕那個東西發現他們爺倆。等到縮下身子後，老羊倌心裡暗叫倒楣，真沒想到，雪地龍沒等來，竟然等來這麼一個要命的祖宗。

這種東西在民間稱為「勾魂蟲」，都說是黑白無常鬼變化的，專門勾攝生魂，接引陽間將死之人，是地下勾魂使者陰差的化身。之所以這麼說，是因為這種蟲子常常躲在暗處害人，殺人於無形。

所謂的「勾魂蟲」，其實就是一種和蜈蚣長得很相似的多足蟲子，三寸多長。正常來說，這種蟲子的壽命只有幾年，並不能害人性命，但是一旦機緣巧合，奪天地造化而逆天不死，等長到十年後，牠的身體就會發生變異。背板開始漸漸變硬，頭頂會生出一隻單角，身上長出三對短翅，可以御空飛行。

這種蟲子大多生活在深山老林，只有晚上才會出現。雖然沒有眼睛，但是聽覺十分靈敏，只要聽到聲音便知道人所在方向和距離。牠口中有一副機栝，像是把弩弓似的，可以把口裡含著的沙粒當成箭矢，向人射擊。要是夜裡被牠射中身體，天不亮就會斃命，就算是被牠射中影子，也會大病一場，全身生瘡。

以前很多人在山上走夜路，回到家中就會莫名其妙地大病一場或是意外死亡，很多人到死了都不知道是怎麼回事，其實多半部分都是被這勾魂蟲暗中所害。

這種蟲子一旦長出翅膀之後，體內就會結出黃豆粒大小的「丹」，每天夜半時分，在陰氣極重的地方，就會不停地吞吐修煉，剛才看到的紫光，根本不是牠身體發出的螢光，而是牠不停吞吐的丹火。

徐青山並不知道是怎麼回事，被老羊倌用手一壓，就順勢低頭，伏下身子後，發現老羊倌半天都呆愣不語，心裡納悶，就用手捅了捅老羊倌，低聲問到底出了什麼事。

老羊倌趕緊朝徐青山比劃了個手勢，示意他別說話，然後伸出脖子往山坡下看了一眼，見山坡下的那團紫火仍然忽明忽暗，並沒有發現他們，不禁暗自慶幸。老羊倌咽了口唾沫，縮回身子，朝著徐青山一招手，躡手躡腳地就往後退。

就在這時，宋長江突然醒了，見老羊倌和徐青山鬼鬼祟祟地撅著屁股往後退，心裡納悶，不知道這爺倆大半夜是玩兒的哪一齣。他心裡好奇，從地上爬起來，悄悄地迎了上去，伸手拍了拍徐青山的肩膀，嚇得徐青山「媽呀！」一聲喊了出來。

老羊倌也嚇了一跳，回頭一看是宋長江，心裡是又氣又惱。他也顧不上和宋長江多說，趕緊抬頭往山坡下看了看，登時臉都綠了，那團紫火顯然聽到了徐青山的動靜，火光一暗，衝著他們飛了過來。

老羊倌也顧不上別的了，把白素和周伍都喊醒了，然後大吼一聲，「快跑！」白素和周伍來不及細問，拔腿就往山坡上跑去。

性命攸關，每個人都玩命似地跑，這一陣猛跑，立刻就分出了上下高低，徐青山跑出還沒有一百公尺就被甩在了後面。

老羊倌剛要回去接應徐青山，被宋長江一把給拉住了，指了指自己，話也沒說，又跑了回去。幾步就到了徐青山的面前，大手一伸，像是拎小雞似的就把他扯了起來，拉著他的胳膊，甩開大步奔山上跑去。徐青山就感覺身子一輕，緊接著耳邊生風，像是騰雲駕霧一般，心裡對宋長江真是感激不盡。

因為一路上坡，幾百公尺之後，大家都有點兒跑不動了。除了徐青山，別人都不知道發生了什麼事，一邊跑一邊回頭張望，見後面並沒有什麼東西都很納悶，放慢速度問老羊倌到底出了什麼事，怎麼好好地突然跑了起來。

老羊倌也實在是跑不動了，回頭看了兩眼，發現勾魂蟲並沒有追過來，這才長出了一口氣，把勾魂蟲的事告訴了大家。

大凡天靈地寶都有靈物守著，要想得到寶，就得先打發了這些小鬼。有道是閻王好見，小鬼難纏。很多時候失手並不是栽在天靈地寶的手上，而是就在這小陰溝裡翻了船。守在這靈氣充沛之地的畜生個個都極難對付，神出鬼沒，稍不留神，就遭了暗算。

老羊倌一邊說一邊四處打量，心裡總有點兒放不下，要說這玩意兒神出鬼沒的，身形又小，真要是躲在暗處，根本就不容易發現，等到看見估計也就晚了。

第27章 燕子躥雲

幾個人停下來後，望天的望天，遠眺的遠眺，都在仔細搜尋老羊倌所說的「勾魂蟲」，可是看了半天，連個影兒都沒見到。

宋長江張著大嘴看了半天，晃了晃腦袋問老羊倌：「老爺子，你說的那個什麼勾魂蟲子，好像是被咱們給甩開了吧？」

老羊倌這時候心裡也沒底，不知道那蟲子是真的被甩在後面了，還是躲在暗處，伺機偷襲，一直不敢大意，他看了一眼宋長江，搖了搖頭：「不好說啊，那東西太小，飛得快，又善於隱蔽，還是小心點兒吧！」

白素慢慢地走了過來，吞吞吐吐地問老羊倌，現在大家都跑出來了，萬一那條雪地龍要是爬出來可怎麼辦？用不用回去看看？

老羊倌撓了撓頭，也是左右為難。

不過，話說回來了，必須得想個法子，不能在這兒坐以待斃。要是碰到豺狼虎豹也還好辦，畢竟都是地上跑的，就算是再厲害，也能和牠拼一把。倒是碰上這天上飛的，那就是瞪眼沒轍。一時之間，老羊倌也想不出來什麼辦法。

這時候，周伍抬頭朝著先前的方向看了看，淡淡地笑了笑，聲音平和地說道：「你們在這裡等我一會兒，我先回去看看。」

話音一落，幾個人都扭頭看了看周伍。誰都知道回去的危險，但目前來說也只有這個辦法了，只是聽周伍如此輕描淡寫，大家心裡都不免有些懷疑，看他漫不經心，一臉的不在乎，那樣子不像敢死隊，倒像是去遊山玩水。

老羊倌看了一眼周伍，有心不想讓他去冒險，不過眼下也沒有更好的辦法，猶豫了一下，還是點了點頭，叮囑周伍一定要小心，不要逞強，實在不行趕緊撤回來。

周伍微微點了點頭，把衣服上的帽子往頭上一扣，借著夜色，順著原路就走了。

宋長江一見周伍自告奮勇，有些不服氣，看著這小子出風頭，自己就難受，一心想要和他分出個上下高低，於是瞅著周伍的背影冷哼了一聲，對老羊倌說道：「老爺子，讓這傢伙一個人回去有點兒冒險，那小子瘦得像是隻螞蚱似的，我還是過去一起看看吧！」說完也不等老羊倌表態，甩開大步，一溜小跑就追了上去。

老羊倌剛要喊他回來，突然就看到他頭頂不高處有個黑影閃了一下，雖然光線微弱，可老羊倌看得是清清楚楚，正是那隻勾魂蟲。老羊倌趕緊扯脖子大喊：「江子，快跑，那蟲子在你腦瓜頂上！」

宋長江一怔，抬頭往上看了看，也沒有看到什麼蟲子，但是他知道老羊倌不可能騙他，也不敢大意，撒腿就往前跑。

周伍聽到老羊倌喊話，頭也沒回，身子一晃，很迅速地躲在了一棵大樹後面。探出頭來，回頭看了一眼，就見宋長江正玩兒了命地衝向自己這邊跑了過來。

老羊倌急得朝宋長江不停地喊，讓他別跑直線，多轉幾個彎，別被那蟲子給盯上。

宋長江雖然槍林彈雨都經歷過，可是這種事還是頭一回，心裡沒底，只能瞎貓亂轉，繞著一排大樹不停地轉來轉去。

東轉西轉，竟然轉到了周伍附近，等他看到周伍了，也意識到不好，急得大叫：「喂，快跑，蟲子來了！」

周伍瞪大眼睛看了看，並沒有跑開，而是迎著宋長江跑了過去。

宋長江一見，有點蒙了，朝周伍連比劃帶擠眼睛，讓他趕緊閃開，蟲子就在附近。

周伍根本不理會宋長江，跑著跑著，突然一擰腰眼，腳下用力，朝著前面的一棵大樹就衝了過去，腳下連踹，竟然在樹上連蹬三步，身子就差不多橫在了空中，而後雙腳用力一蹬那棵大樹，身子借力一彈，斜著就飛向了宋長江。

這一套動作發生得極為迅速，就是一眨眼的工夫，宋長江突然發現周伍不見了，等他反應過來的時候，周伍已經飛到了他的頭頂上，他就感覺肩膀被踩了一下，周伍借力往上一躥，這一躥足足離地有兩公尺多高，只見他手中寒光一閃，刷地一下，斜劈了下去。

就聽到「啪」地一聲，有個東西應聲而落，掉在了地上。

宋長江一怔，趕緊低頭去看，就見落下來的是兩截甲蟲，還在不停地翻來滾去，頓時驚得目瞪口呆。

周伍從空中落下來後，單腳先著地，就勢另一條腿單膝跪在地上，也是累得氣喘吁吁。

別說宋長江，老羊倌他們也看傻眼了，等到周伍從地上爬起來了，他們這才緩過神來。

徐青山這才驚呼出聲：「哎呀我的媽呀，這是真的還是假的，咋還飛起來了呢？」

老羊倌眼睛盯著周伍，心裡亂作一團。

剛才這小子這一手實在是太高明了，他到底是什麼來頭呢？一時間也是驚詫萬分，晃了晃腦袋，趕緊跑了過去，一邊跑一邊問宋長江有沒有事。

宋長江這時候早就傻眼了，盯著周伍目瞪口呆，像是木雕泥塑一般，動都不會動了。

周伍掃了一眼地上的那兩截蟲子，看都沒看宋長江一眼，只是回頭告訴老羊倌，說了句：「沒事了，蟲子死了。」

老羊倌跑到近前，看了一眼那兩截的蟲子，終於長出了一口氣，對著周伍客氣地抱了抱拳，說道：「爺們，好身手啊！今天這事多虧了你，咱們幾個都得謝謝你了，要不還真是麻煩大了。」

周伍擺了擺手，回道：「老爺子不用客氣，不殺掉這隻蟲子，我也一樣危險，所以您就不用謝我了。」

老羊倌笑了笑，話鋒一轉，有意無意地問周伍，這身本事怕是下了不少工夫吧？

周伍搖了搖頭：「小時候身體一直不好，就跟一位師傅練過一陣子，都是『掛子行』裡的野把式，花拳繡腿上不了檯面。」

「掛子行」是江湖人的調侃，說的是練把式賣藝的。

真正習武的，一般也拉不下臉來去打把式，都說是「人窮了當街賣藝，虎瘦了攔路傷人」，也是實在迫不得已，為了混口飯吃，這才當街拉場子，打把式賣藝。這行裡倒是真有些會功夫的，確實是真把式，叫「尖掛子」；不過更多的是些花拳繡腿的假把式，也叫「腥掛子」，順帶著賣點兒大力丸或是金創藥什麼的，清末民初的那陣子，這行人四處流浪混飯吃，屢見不鮮。
老羊倌知道是周伍有意避諱，不想多說，也就識趣地沒有多問，抬頭看了看還在發愣的宋長江，拍了拍他的肩膀，問他有沒有什麼事。
宋長江這才緩了過來，不住地咽唾沫，瞪眼看了看周伍，滿臉通紅，朝著他抱了抱拳，有些尷尬地說了聲「謝謝」。
周伍點了點頭，也沒說話。
要不是宋長江剛才親眼看到了周伍的能耐，這時候早就翻臉了。常言道，錢壓奴婢手，藝壓當行人。明顯人家比自己高上不是一點兒半點兒，宋長江也是心知肚明，剛才要不是周伍出手相助，自己這條命能不能保住還是問號，想到這裡，他儘量壓下了火氣，沒有言語。
這時候徐青山和白素也跑了過來，看了看地上被整齊劈斷的那兩截蟲子，心裡都是一陣吃驚，用刀砍個樹枝或木棍倒還簡單，空中劈死一隻小蟲子，這準頭和力度可不是一般人亂砍一刀就能砍上的。這功夫只在電視上見過，今天突然見到真功夫，心裡都是唏噓不已，又驚又喜。
老羊倌看了看錶，提醒大家先別顧著眼前這事了，趕緊回去看看，別誤了正事。
一邊往回走著，老羊倌心裡一邊琢磨著剛才的事情，周伍露的那一手輕功，好像是「燕子躥雲」。這功夫，雖然他沒有見過，但是以前不止一次聽師傅說過，會這手功夫的人十有八九是南派的「土箢子」，這些人心機很重，行事狠辣，能避就避，能躲就躲，儘量別和他們一較長短。

「土箢子」說白了就是憋寶的。南方憋寶與北方相靈雖說目的都是一樣，都為了天靈地寶，但是門派不同，行事手法上也有很大的區別。之所以叫「土箢子」，就是因為南方憋寶的人一般都偏向於地下的寶貝，尤其以金銀珍寶為重。據說這些人都是打從出生起就不見天日，一直在地下生存，一旦開了「地眼」，天下之寶，無寶不識。

這夥人都是「開眼入土識寶，箢地兩手不空」，一走一過，就能看出地下是不是有寶貝，而且一旦認準了，會想盡一切辦法弄到手。

這種人不僅僅是開了地眼，而且還都多少通些方術，與北方牽羊用的風水術不同，是一種特殊的法門，玄之又玄，諸如些「憋金咒」或是「開山語」，而最有名的就是一手保命的功夫，叫做「燕子躥雲」，危急之時，據說可以平地躥起一丈多高，逢凶化吉。

老羊倌也只是聽師傅以前念叨過，並沒真正看人施展過，剛才周伍那一下子到底是不是「燕子躥雲」，他也不好確定。不過怎麼看感覺都不像是他自己說的那麼簡單，這個要是也算作野把式，那他那師傅可真不簡單了，說是掛子行有些屈才了，就衝著這一招，和《三俠五義》裡的八步趕蟬都有得一拼，評書裡說得懸，眼下可是親眼所見。

老羊倌是一肚子問號，相互都套在了一起，怎麼解也解不開了。

看樣子，再下來大夥兒可有好戲看了……

〈上卷終〉

◎請看精彩下卷。

藏秘

占婆謎城
不可思議的地宮

〈全二冊〉

布川鴻內酷◎著

本書簡介

中國歷史上神祕消失的建文帝朱允炆，他的帝王墓究竟在何方？這一直都是個未解的歷史之謎，而在越南有一座沉睡的古城占婆國，兩者之間看似毫不相干，卻因為一顆明朝的道家法器滅靈釘，被無形地聯繫了起來。

幾個年輕人機緣巧合地捲入上一輩留下的謎局，卻中了「亡靈的詛咒」這種蠱毒，為了破解「詛咒」，幾年輕人帶著祖上流傳下來的滅靈釘，踏上了越南的探祕之旅·在荒無人煙的熱帶雨林中，幾人歷盡艱辛，最終發現了龍帝之墓和沉睡的古城，通過一卷殘舊的書稿，他們開啟了一個塵封在歷史當中的神祕故事……

盜墓生涯

〈全二冊〉

本書簡介

各懷鬼胎的考古隊成員，神祕詭異的嚮導，處處殺機的陰森古墓，他們不知不覺中陷入了巨大的危險之中。而隨著這支特殊的考古隊不斷深入，各種前所未見，聞所未聞的事物讓考古隊員死去了大半……陰森恐怖的龍樓寶殿，迷宮一樣的墓道陷阱，詭異絕倫的屍牆……當這層籠罩了千年的神祕面紗逐漸揭開，眾人愕然發現原來成吉思汗墓中，一直隱藏著一個逝去了千年的女性亡魂……

從東北老林到新疆草原，各種詭異驚險的背後，到底隱藏著哪些玄機？一代天驕身後的地下世界，正一幕幕地揭開……

國家圖書館出版品預行編目資料

天靈地寶／舞馬長槍／著；-- 初版 . -- 新北市：
新潮社，2013.05　面；　公分 . --

ISBN 978-986-316-311-4（上卷：平裝）
ISBN 978-986-316-312-1（下卷：平裝）

857.7　102004233

天靈地寶・上卷

舞馬長槍／著　2013年 5月／初版

〈代理商〉
聯合發行股份有限公司
新北市新店區寶橋路235巷6弄6號2樓
電話 (02) 2917-8022＊傳真 (02) 2915-6275

〈企劃〉
小倉書房

〔出版人〕林郁
〔出版者〕新潮社文化事業有限公司
〔總管理處〕新北市深坑區北深路三段141巷24號4F（東南大學正對面）
電話 (02) 2664-2511＊傳真 (02) 2662-4655／2664-8448
〔E-mail〕editor@xcsbook.com.tw
印刷作業：東豪印刷事業有限公司
⊙法律顧問・蕭雄淋律師　Printed in TAIWAN

ISBN 978-986-316-311-4（上卷）